Table des matières

Tous les termes en caractères gras dans le texte sont définis dans le glossaire, à la page 64.

I

J'ai au moins 35 piqûres», s'exclame Emily Wilkins, 9 ans, d'un ton exaspéré, tout en repoussant des branches. La mère examine les piqûres de moustiques et de mouches noires sur le visage et le cou de sa fille.

La famille Wilkins

Maman, Judith, Robert, Emily, papa et Peter

«Nous sommes tous dans le même cas», répond maman. Elle se penche pour regarder les visages de Robert et de la petite Judith.

«J'ai des nuées de moustiques autour de moi, gémit Emily. Quand je respire, ils entrent dans mon nez. Et quand je parle, ils entrent dans ma bouche!»

«Pauvre papa et pauvre Peter! Ils travaillent dans la forêt depuis trois jours. Tout le monde dit que c'est là qu'il y en a le plus. Ils vont être couverts de piqûres», se désole Emily.

M. Wilkins et son fils Peter ont laissé leur famille avec les Carter quelques jours auparavant. Papa et Peter ont devancé le reste des leurs pour aller sur leur nouveau terrain, à Cavan. Ils avaient l'intention de construire une cabane avant que le reste de la famille les rejoigne. M. Carter guide maman et les enfants à travers la nature sauvage jusqu'à Cavan.

Emily dégage sa longue jupe, qui s'est accrochée à une racine.

«Maman, est-ce que notre maison en Angleterre te manque? Est-ce que grand-père et grand-mère te manquent? demande Emily. Est-ce que tu regrettes parfois d'être venue au Canada?»

Emily voit les yeux de maman s'adoucir.

«Notre famille et nos amis me manquent comme à toi, Emily. Ils nous manqueront toujours. Mais j'ai très hâte de voir la nouvelle terre qui sera *juste à nous* un jour.»

Emily sent le bras de maman entourer ses épaules. Cela dissipe la solitude qu'elle ressentait.

«Tu sais, maman, tout arrive pour mes neuf ans!»

Emily se tait pendant un instant.

Elle reprend: «J'ai fait mes premiers adieux à tout le monde en Angleterre. J'ai vu des navires pour la première fois à Liverpool. J'ai traversé l'océan Atlantique sur un bateau à voile. J'ai vécu pendant six semaines dans la cale d'un navire. J'ai eu le mal de mer pour la première fois de ma vie. J'ai vu mes premières baleines et mes premiers marsouins. Et aujourd'hui, j'ai marché plus longtemps que je n'ai jamais marché dans toute ma vie, dans une forêt pleine de moustiques!»

Maman éclate de rire. «Tu dramatises un peu, Emily. Et la peur d'avaler des mouches noires ne t'a pas empêchée de parler», déclare-t-elle.

Emily attrape Judith et la prend sur sa hanche. Elle regarde Robert, qui s'est de nouveau arrêté pour observer une fourmilière.

«Maman, penses-tu qu'il y aura encore beaucoup de nouveautés pour moi cette année?»

Maman ne répond pas. Elle aperçoit une clairière. Son visage s'éclaire d'un large sourire. Elle relève un peu sa longue jupe grise. Elle court presque.

«Oui, Emily, lance-t-elle. Il y en aura d'autres!»

Emily et sa famille ont passé leur premier hiver dans une petite cabane, dans le canton de Cavan. Cavan est près de Peterborough, au nord-est de York. (York est l'ancien nom de Toronto.) Ce premier hiver était leur plus grand défi.

ACTIVITÉS

1. Dessine deux diagrammes à bandes, un pour Toronto et un pour Londres. Sur chaque diagramme, indique le nombre de jours de neige, de septembre à avril.

2. Dessine un diagramme à bandes montrant les basses températures moyennes à Toronto et à Londres de septembre à avril.

3. Avec une ou un camarade, compare les diagrammes. Discutez des raisons pour lesquelles le premier hiver a été un défi pour la famille Wilkins.

Tableau météorologique de Londres (Angleterre)
Moyennes mensuelles

Mois	Nombre de jours de neige	Basse température moyenne
janvier	6	2°
février	5	2°
mars	4	4°
avril	2	5°
mai	0	8°
juin	0	11°
juillet	0	13°
août	0	13°
septembre	0	11°
octobre	0	8°
novembre	1	4°
décembre	2	3°

Regarde ces tableaux météorologiques. Celui du haut concerne Londres, en Angleterre. C'est près de l'endroit où vivait la famille d'Emily avant de venir dans le Haut-Canada. Le tableau ci-dessous concerne Toronto, qui est proche de l'endroit où Emily a passé son premier hiver.

Tableau météorologique de Toronto (Ontario)
Moyennes mensuelles

Mois	Nombre de jours de neige	Basse température moyenne
janvier	22	–9°
février	18	–9°
mars	13	–6°
avril	5	0°
mai	1	6°
juin	0	12°
juillet	0	16°
août	0	15°
septembre	0	10°
octobre	2	4°
novembre	8	–1°
décembre	21	–7°

Penses-tu que tes **ancêtres,** tes arrière, arrière, arrière-grands-parents, vivaient au Canada dans les années 1800? À quel groupe appartenaient-ils? Aux autochtones, aux **loyalistes de l'Empire-Uni,** aux Canadiens français, aux colons de Grande-Bretagne et d'Europe ou aux personnes d'origine africaine ou asiatique?

Les peuples autochtones

Bien avant l'arrivée des colons, soit depuis des milliers d'années, les autochtones habitaient au Canada. Ils vivaient des produits de la chasse, de la pêche et de la terre.

Les colons de Grande-Bretagne et d'Europe

Les premiers colons venaient de Grande-Bretagne et d'Europe.Ils ont choisi le Haut-Canada pour différentes raisons. Certains venaient y chercher la liberté de pratiquer leur religion. D'autres n'aimaient pas le gouvernement de leur pays. Beaucoup de colons étaient pauvres. Ils n'avaient aucun espoir d'une vie meilleure dans leur pays d'origine. Ils sont venus dans le Haut-Canada parce qu'ils pensaient que leurs conditions de vie s'amélioreraient. La plupart des colons du Haut-Canada venaient de Grande-Bretagne. Certains venaient d'autres pays d'Europe, comme l'Allemagne.

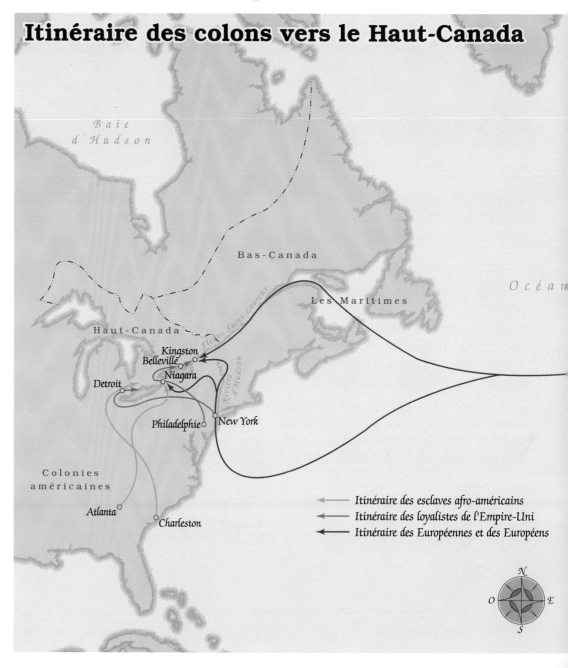

Itinéraire des colons vers le Haut-Canada

Baie d'Hudson

Bas-Canada

Océan

Les Maritimes

Haut-Canada

Fleuve Saint-Laurent

Kingston
Belleville
Niagara
Detroit

Rivière d'Hudson

Philadelphie   New York

Colonies américaines

Atlanta

Charleston

→ Itinéraire des esclaves afro-américains
→ Itinéraire des loyalistes de l'Empire-Uni
→ Itinéraire des Européennes et des Européens

N
O   E
S

Les loyalistes de l'Empire-Uni

Beaucoup de gens dans les colonies américaines ne voulaient plus être sous domination britannique. En 1776, les colonies américaines se sont séparées et sont devenues les États-Unis. Cependant, certaines personnes qui étaient loyales à la Grande-Bretagne étaient mécontentes. Beaucoup ont décidé de quitter les États-Unis et d'aller dans le Haut-Canada pour y commencer une nouvelle vie.

Qui étaient les colons ?

COMPRENDRE LA CARTE

Examine la carte et trouve :

- la Grande-Bretagne. La Grande-Bretagne comprend l'Angleterre, l'Irlande, l'Écosse et le pays de Galles.
- l'Europe. Elle se trouve à l'est de la Grande-Bretagne. Elle comporte plusieurs pays.
- l'océan Atlantique. C'est une grande masse d'eau qui sépare l'Europe de l'Amérique du Nord.
- l'Amérique du Nord. Quels sont les deux principaux pays qui forment l'Amérique du Nord ?
- le Haut-Canada. Quel est le nom actuel de l'ancien Haut-Canada ? Tu pourrais avoir besoin de ton atlas pour la réponse.

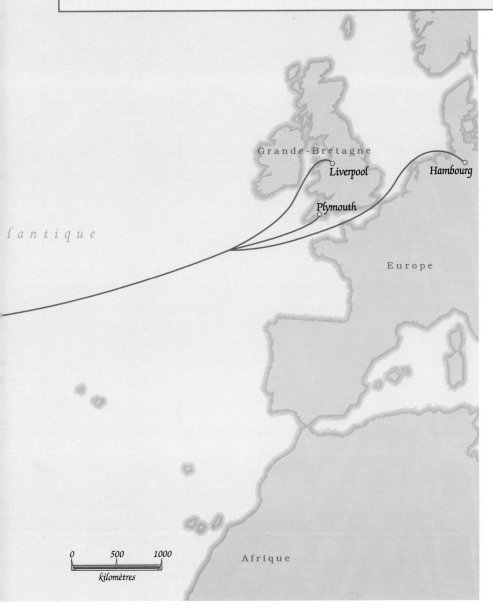

Les personnes noires venues des États-Unis

Certains loyalistes de l'Empire-Uni ont emmené des esclaves avec eux. En 1793, on a adopté une loi qui interdisait la vente d'esclaves. Grâce à cette nouvelle loi, le Haut-Canada est devenu un lieu sûr pour les esclaves évadés ou libérés. On ne sait pas exactement combien d'esclaves sont venus au Canada. On pense que, durant les années 1850, des milliers d'esclaves se sont réfugiés dans le Haut-Canada chaque année. Nombre d'entre eux sont arrivés par le « chemin de fer clandestin ». Il s'agissait d'un groupe de personnes qui aidaient les esclaves à s'échapper. De nombreux esclaves se sont établis à Amherstburg, dans le sud de l'Ontario. Ils ont travaillé dans les champs de tabac, comme ils l'avaient fait dans le sud des États-Unis. Leur vie était très différente, cependant : ils étaient libres !

En route vers le Canada

Je m'en vais au Canada
Cette contrée froide et lointaine
Les pénibles effets de l'esclavage
Je ne peux plus les supporter
Adieu mon maître
Ne me cherche pas
Je m'en vais au Canada
Où les hommes de couleur sont libres.

5

Où les colons se sont-ils établis ?

Les loyalistes de l'Empire-Uni

En 1778, de nombreux loyalistes ont commencé à s'établir sur la rive nord du fleuve Saint-Laurent et du lac Ontario. Ils avaient une préférence marquée pour la région de la baie de Quinte. D'autres loyalistes ont traversé la rivière Niagara pour s'installer sur le sol riche de la péninsule de Niagara.

La Confédération des Six-Nations

Pendant la guerre entre la Grande-Bretagne et les colonies américaines (1775-1783), des peuples autochtones se sont battus aux côtés des troupes britanniques. Le plus important des groupes autochtones s'appelait la Confédération des Six-Nations ou Confédération iroquoise. Ce groupe était mené par un chef mohawk, Thayendanegea. (Son nom anglais était Joseph Brant.) Lorsque les Britanniques ont perdu la guerre, la Confédération des Six-Nations a perdu la majorité de ses terres aux États-Unis. C'est pourquoi, en 1784, on a donné à Joseph Brant et à la Confédération des Six-Nations un vaste territoire dans le Haut-Canada.

Les premiers colons du Haut-Canada

Les colons irlandais

Le gouvernement a demandé à Peter Robinson de faire venir au Canada des gens qui pratiquaient l'agriculture et des travailleuses et travailleurs irlandais pauvres. En 1824, il a attiré plus de 2000 personnes d'Irlande. Ces personnes se sont installées dans la région qui se trouve au nord du lac Rice. Le gouvernement a donné 100 acres de terrain à chaque famille et à chaque membre de la famille âgé de plus de 21 ans. Les familles ont aussi reçu assez de porc salé et de farine pour vivre plusieurs mois. Ces colons ont fondé la ville de Peterborough, en hommage à Peter Robinson.

Qui étaient les colons?

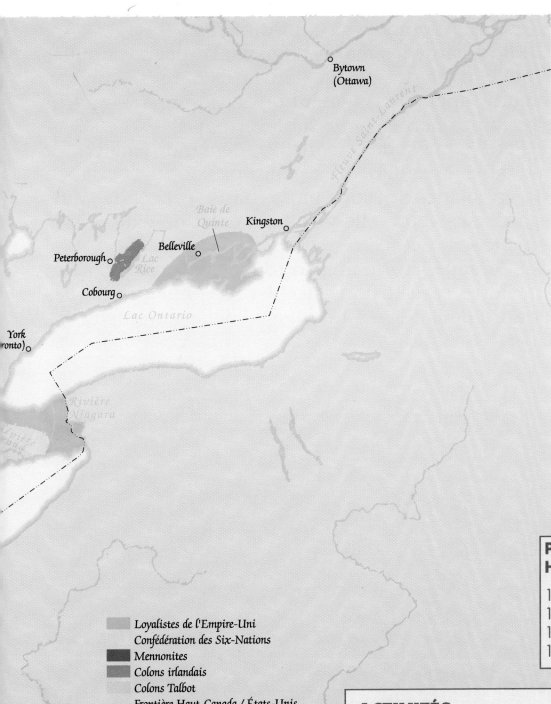

Bytown (Ottawa)

Fleuve Saint-Laurent

Baie de Quinte

Kingston

Belleville

Peterborough

Lac Rice

Cobourg

Lac Ontario

York (Toronto)

Rivière Niagara

Loyalistes de l'Empire-Uni
Confédération des Six-Nations
Mennonites
Colons irlandais
Colons Talbot
Frontière Haut-Canada / États-Unis

Le colonel William Talbot

L'une des plus célèbres colonies était dirigée par le colonel William Talbot. En 1803, le gouvernement lui a donné un vaste territoire sur la rive nord du lac Érié. William Talbot a aussi reçu 200 acres pour chaque colon qu'il faisait venir dans le Haut-Canada.

En 1835, le colonel Talbot avait attiré plus de 30 000 personnes. Elles se sont installées sur le territoire qui s'étend de Windsor à London, le long de la rive nord du lac Érié.

Le colonel Talbot était sévère avec ses colons. Chaque colon devait défricher 10 acres de terre. Il devait aussi construire une maison et entretenir la route devant sa propriété. Au bout de cinq ans, il pouvait devenir propriétaire.

Population du Haut-Canada

1806	70 000
1825	155 000
1840	450 000
1850	952 000

Les mennonites

Après que les colonies américaines se sont séparées de la Grande-Bretagne, de nombreux mennonites sont venus s'installer dans le Haut-Canada. Ils ont fait le voyage dans leurs célèbres **chariots conestoga.** Ils se sont établis dans ce qui est maintenant le comté de Waterloo.

ACTIVITÉS

1. Lis ces deux pages sur les colons. Note en quelle année chaque groupe est arrivé dans le Haut-Canada. Trace ensuite une ligne de temps avec les dates. Place les groupes dans l'ordre. Commence par ceux qui sont arrivés en premier et termine par ceux qui sont arrivés en dernier.

2. Regarde l'échelle dans le bas de la carte, à gauche. Utilise-la pour mesurer la longueur de la colonie Talbot le long des rives du lac Érié.

3. Regarde la frontière entre le Canada et les États-Unis. Quel est le point commun quant à l'emplacement de chaque colonie?

ïe! Ça a l'air douloureux», dit Emily.

Elle regarde les mains de papa. La peau est enflée et rouge. Il y a des cloques ouvertes dans ses mains. Maman y applique l'onguent qu'elle a préparé à partir de certaines herbes pour soulager papa.

«Est-ce que Peter a aussi des cloques?», demande Emily.

«Oui, répond papa. Mais il ne s'en plaint pas.»

Emily a de la peine de voir papa dans cet état. Mais lorsqu'elle regarde ses yeux, elle y voit un éclat de gaieté. Il la prend dans ses bras.

«Emily, dit-il, lorsque j'aurai abattu tous les arbres jusqu'au ruisseau, cette terre sera à nous. Cela vaut chacune de ces cloques. Peter aura de la terre à lui aussi. La vie sera meilleure pour nous ici.»

Toute la famille participe au débroussaillage.

Les colons ont souvent dû faire des choses qu'ils n'avaient jamais faites auparavant. Certains, comme M. Wilkins, étaient soldats en Angleterre. Ils n'avaient jamais coupé d'arbres ou labouré un champ avant d'arriver dans le Haut-Canada.

La terre que M. Wilkins a reçue était couverte d'arbres. Il a donc dû commencer par la déboiser. Il lui fallait un endroit où semer. La famille Wilkins avait besoin de nourriture pour tout l'hiver.

Avant tout, il a fallu enlever les **broussailles,** c'est-à-dire les buissons et les arbustes. On a mis les branches coupées à sécher pendant quelques mois.

Ensuite, une fois les branches sèches, papa et Peter y ont mis le feu. Les branches ont brûlé pendant plusieurs jours. Papa et Peter ont passé la nuit dehors à tour de rôle. Il fallait surveiller le feu pour s'assurer qu'il ne s'étendait pas.

Une fois les broussailles enlevées, papa et Peter ont commencé à abattre les gros arbres. Après avoir coupé un arbre, on retirait les branches. On les traînait ensuite plus loin et on les brûlait. Les troncs étaient coupés et mis en tas.

Les souches posaient un problème aux colons. Elles sont difficiles à déraciner. Elles sont aussi difficiles à brûler. Parfois, le colon construisait des **clôtures de souches** pour empêcher les animaux d'entrer dans le jardin.

Les colons travaillaient souvent de l'aube au crépuscule, tous les jours. Il fallait des mois pour défricher la terre nécessaire pour une petite maison et un jardin.

Papa et Peter brûlent les broussailles lorsqu'elles sont sèches.

Les fermiers utilisaient des bœufs pour enlever les souches.

LE SAVAIS-TU ?

Les cendres qui restaient après que l'on avait brûlé des feuillus étaient placées dans de grands contenants. Il y avait des petits trous à la base des contenants. L'eau s'écoulait lentement à travers les cendres. Cela donnait ce qu'on appelait de la **potasse** non raffinée. La potasse servait à fabriquer du savon.

ACTIVITÉS

1. Divise une feuille en deux dans le sens de la longueur. Dans la première colonne, dresse la liste de tous les travaux que papa fera et qu'il n'a jamais faits en Angleterre. Dans la deuxième colonne, fais la même chose pour maman.

2. Le bois d'œuvre, la potasse et le blé sont les « ressources de vente » des premiers colons. D'après toi, qu'est-ce que cela veut dire ?

3. Que signifie l'expression : Canadienne ou Canadien « de souche » ?

eaucoup de colons n'avaient jamais fait d'agriculture avant. C'était difficile, même pour les agricultrices et les agriculteurs expérimentés d'Europe, de commencer à s'occuper d'une ferme dans la forêt. Ils ont dû apprendre à résoudre de nombreux problèmes.

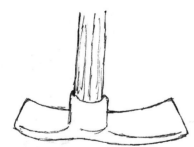

Les colons utilisaient une pioche pour enlever les racines.

La terre défrichée par les premiers colons était-elle vraiment prête pour l'agriculture ?

La terre défrichée comportait de grosses souches d'environ un mètre de hauteur. Il y avait des souches partout ! De grosses racines et d'énormes pierres recouvraient le sol. Mais les premiers colons ont planté des semences autour des souches, des racines et des pierres. Ils n'avaient pas le choix. Il leur fallait semer tout de suite pour s'assurer que la famille aurait de la nourriture pour l'hiver.

Comment les premiers colons labouraient-ils la terre ?

Au début, tout était fait à la main. On traînait une grosse branche sur le sol. Cela permettait d'ameublir la terre. On se servait d'une **pioche** pour venir à bout des racines et des mottes de terre dures. C'était un travail difficile. Tous les membres de la famille y participaient.

Plus tard, on fixait de grosses planches ensemble de façon à former un triangle. Des bœufs traînaient ensuite ce dispositif pour ameublir le sol.

Est-ce que le sol convenait aux jardins ?

La plus grande partie du sol était recouverte de terreau de feuilles (en décomposition). Cela contribuait à la fertilité du sol.

Où les colons ont-ils trouvé des semences à planter ?

Les colons ont apporté leurs premières semences avec eux. Plus tard, ils ont écrit à leur famille dans leur pays d'origine pour leur demander de leur en envoyer. Lorsqu'ils ont eu des récoltes plus importantes, ils ont gardé les meilleures semences pour l'année suivante.

Comment faisait-on pour ensemencer les champs ?

Le colon portait un grand sac en tissu sur la poitrine. Il contenait les semences de blé, d'orge et d'avoine. Le colon répandait les semences à droite puis à gauche. Cette méthode s'appelle

On laissait les cochons en liberté dans les bois de chênes, où ils pouvaient se nourrir des glands.

le **semis à la volée.** On passait ensuite le râteau pour recouvrir les semences.

Pourquoi mettait-on certains légumes ensemble?

On plantait les haricots, les courges et les citrouilles autour d'un plant de maïs. Le plant de maïs devenait le support sur lequel les haricots grimpaient. Les plants de courges et de citrouilles s'étalaient sur le sol et empêchaient les mauvaises herbes de pousser.

Est-ce qu'on utilisait du poisson pour certaines semences?

Les autochtones ont appris aux premiers colons la façon d'utiliser le poisson pour planter du maïs. On mettait un petit poisson dans le fond du trou de plantation. Il servait d'engrais. On plaçait quelques semences de maïs par-dessus. On recouvrait ensuite le tout de terre.

Où les colons ont-ils trouvé des fruits, des noix et des baies?

Les premiers colons ramassaient des fruits, des noix et des baies dans les forêts, sur leurs terres. Après avoir défriché le sol, ils ont planté des petits vergers et des baies sauvages près des étables.

Quels animaux de ferme les colons élevaient-ils?

Les cochons étaient généralement le bétail de premier choix. Ils nécessitaient peu de soins. Ils erraient dans les bois en été. En hiver, ils restaient à la ferme. Les cochons mangeaient les glands des chênes, les restes de table et les pelures de fruits et de légumes. Le porc était la viande principale des colons.

Plus tard, on ajoutait une vache et quelques bœufs à la ferme familiale.

On avait besoin des bœufs d'abord pour leur force. Plus tard, on a élevé des chevaux pour le travail et le transport.

Les moutons étaient élevés pour leur laine. On en tuait parfois un ou deux pour la viande.

La famille a aussi élevé des canards, des oies et des poulets. Ces oiseaux fournissaient de la viande, des œufs et des plumes pour les oreillers.

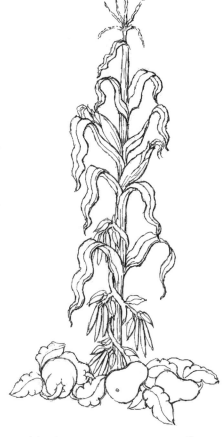

Haricots, courges et maïs qui poussent ensemble

ACTIVITÉS

1. En 1891, l'Ontario produisait 50% du foin et des légumes-racines et 60% des céréales du Canada. Que peut-on en déduire sur les colons?

2. Aujourd'hui, les agricultrices et les agriculteurs ont des machines qui les aident dans leur travail. Donne deux exemples de la façon dont ces machines auraient facilité la vie des colons.

es étincelles jaillissent des nœuds de pin qui brûlent dans le **fanal.** Puis, elles tombent dans l'eau. Emily plisse les yeux. Elle aperçoit à peine la silhouette sombre de Peter à l'avant du bateau.

«Chut!», dit doucement Peter.

Emily est sûre de n'avoir pas fait le moindre bruit. Peter est penché très bas, un trident à la main, les pointes tout près de la surface de l'eau. Il est aussi immobile qu'une statue. Tout à coup, le trident plonge dans l'eau. Le bateau tangue. Le fanal se balance au bout de la perche, et des étincelles volent alentour. Emily s'agrippe des deux mains au banc de bois.

Emily entend le poisson frétiller et reçoit de l'eau dans la figure. Ensuite, elle entend le bruit du poisson qui se débat dans le fond du bateau. Elle relève vivement les pieds.

Le «fanal» utilisé de nuit était fait de nœuds de pin en combustion. Ils étaient placés dans un panier en métal. Il pendait au bout d'une perche placée à l'une des extrémités du bateau. La lumière attirait le poisson, qui montait vers la surface. On le harponnait alors ou on l'attrapait avec une épuisette.

LES MÉTHODES DE PÊCHE
Papa et Peter pêchent en toute saison. Peter aime la **pêche à la foëne.** Il ramène de la truite, des corégones, du doré jaune et du brochet. Maman les sale et les met dans des tonneaux.

Papa attrape des **anguilles** en hiver. Il se sert d'un javelot barbelé à quatre pointes avec un long manche. Après avoir découpé un trou dans la glace,

papa descend le javelot dans l'eau et remue la boue du fond. Les anguilles, dérangées, commencent à nager. Papa les harponne alors. Il les ramène à maman, qui en fera un délicieux ragoût.

Au printemps, les meuniers noirs remontent les rivières pour frayer. Papa et Peter utilisent des filets pour les attraper.

On garde même les petits poissons attrapés avec des

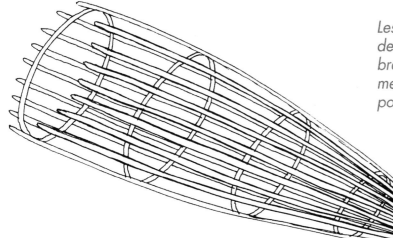

Les autochtones fabriquaient des pièges à poisson avec des branches de saule. Quel serait le meilleur endroit d'un cours d'eau pour installer ce genre de piège?

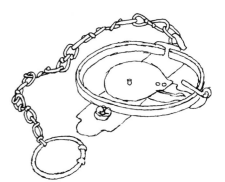

Un piège à castor

hameçons et des appâts. La famille Wilkins les utilise comme engrais pour planter du maïs.

LES ANIMAUX SAUVAGES

La forêt est à la fois une source de nourriture et un danger. Papa et Peter doivent être de bons chasseurs. Le cerf est un excellent **gibier.** L'orignal fournit de nombreux rôtis. Le dindon sauvage se prépare en ragoût. La viande de l'ours est un régal, mais on le chasse aussi pour sa chaude fourrure. Papa n'aime pas les ours parce qu'ils tuent ses cochons et mangent les fruits de ses vergers.

Les ratons laveurs peuvent détruire les champs de maïs.

Lorsque papa les attrape, on en fait du ragoût. Les loups chassent le bétail comme les moutons et les poulets. Le gouvernement offre même une récompense en argent pour chaque loup tué par un colon. On utilise parfois des pièges pour les castors, les renards, les lièvres et les loups.

Au printemps, les oies et les pigeons reviennent du Sud. Il y a tant de pigeons que le ciel s'obscurcit lorsqu'ils passent. Ils peuvent dévorer des champs de céréales entiers en quelques minutes. Papa et Peter rentrent souvent à la maison avec des sacs de pigeons. On en fait des tartes au pigeon.

LE SAVAIS-TU?

John J. Audubon était un spécialiste des oiseaux. Un jour, il a vu passer un vol de colombe voyageuses si grand qu'il a pris trois heures pour passer. Il estimait que ce gigantesque vol contenait plus d'un milliard d'oiseaux. La dernière colombe voyageuse est morte en 1914.

ACTIVITÉS

1. Fais la liste des animaux sauvages qui peuvent représenter un danger pour la ferme de la famille Wilkins. Explique pourquoi.

2. Aujourd'hui, la pêche au fanal est interdite. Pourquoi penses-tu qu'elle a été défendue?

Sans les réunions spéciales, la vie aurait été bien morne pour les familles qui s'étaient installées plus à l'écart. Les voisines et les voisins aimaient se rencontrer pour s'entraider. Ils savaient qu'ensemble, ils pourraient faire davantage de travail en une journée qu'une famille seule en deux mois. Ce genre de réunion s'appelait la **corvée.**

Une famille qui avait besoin d'accomplir une certaine tâche invitait ses voisines et voisins dans sa ferme. On leur demandait d'emmener leur famille pour participer au travail.

Ils apportaient les outils et les fournitures qu'ils avaient à partager.

Les corvées donnaient aux pionnières et aux pionniers l'occasion de se donner des nouvelles de leur pays d'origine. Les hommes échangeaient des conseils sur l'agriculture et sur les outils. Les femmes échangeaient des recettes de cuisine et de médicaments. Les jeunes en profitaient pour faire plus ample connaissance. Les enfants qui n'étaient pas assez âgés pour travailler jouaient ensemble.

SE PRÉPARER POUR LA CORVÉE

La famille qui organisait la corvée avait beaucoup de travail. Il lui fallait réunir tout ce qui serait nécessaire. Il fallait planifier un repas pour tout le monde. Si on attendait beaucoup de familles, il fallait parfois cuisiner pendant plusieurs jours à l'avance. Souvent, la famille devait aller chasser et pêcher pour avoir de la viande. Il fallait ensuite cueillir des baies et des fruits dans les forêts pour les poudings et les tartes.

On organisait aussi des jeux et des distractions pour la soirée de la corvée. On engageait souvent un violoniste. Il jouait pour ceux qui voulaient danser. Tout le monde s'amusait!

ACTIVITÉS

Regarde les activités illustrées dans l'image.

1. De quel type de corvée penses-tu qu'il s'agit?

2. Nomme quelques-unes des tâches que les hommes et les jeunes garçons font.

3. Nomme quelques-unes des tâches que les femmes et les jeunes filles font.

4. Indique trois façons dont les voisines et voisins se sont rendus à la corvée.

Explique tes réponses.

L'ÉPLUCHETTE DE MAÏS

La corvée préférée de Peter était l'épluchette de maïs. Cela lui a donné l'occasion de rencontrer d'autres jeunes gens et surtout Sara Simpson.

À l'automne, la famille qui organise l'épluchette récolte le maïs dans le champ. On remplit le chariot de maïs et on l'apporte à l'étable. On fait des tas d'épis de maïs par terre, au milieu de l'étable. On est alors prêt pour la corvée.

Les colons commencent à arriver en fin d'après-midi. L'air s'emplit d'excitation et de bavardages. Les jeunes gens travaillent souvent en équipe pour voir qui arrivera à éplucher le plus d'épis.

Peter espère trouver un épi de maïs rouge. Cela voudrait dire qu'il peut embrasser la jeune fille près de lui. Et il s'est arrangé pour s'asseoir près de Sara.

Plus tard, on allume des lanternes en fer-blanc et on les suspend dans l'étable. Tout le monde mange et boit tout en jouant.

L'ÉPLUCHETTE DE POMMES

Avant que les pommes ne s'abîment, les premiers colons devaient les éplucher et les évider pour les sécher. Ils pouvaient ensuite en faire de la compote de pommes. C'était un bon prétexte pour organiser une corvée!

Pendant que certaines personnes pelaient les fruits, d'autres les évidaient. Un groupe les découpait en anneaux. Un autre groupe les enfilait sur des ficelles ou des bâtons pour les faire sécher. On mangeait beaucoup de tranches de pommes!

Les jeunes gens avaient inventé un jeu. Ils s'efforçaient de peler les pommes en un seul long ruban. Ils faisaient ensuite tourner le ruban au-dessus de leur tête et le lançaient sur le sol. Le ruban formait une initiale. C'était celle du futur mari ou de la future femme de la personne qui avait lancé le ruban. Les rires et les taquineries s'ensuivaient pour le reste de la journée.

On jouait à des jeux avec les pommes pendant que le dîner était servi. Dans l'un des jeux favoris, on attrapait avec les dents des pommes qui flottaient dans une grande cuvette d'eau.

LE PIQUAGE D'UNE COURTEPOINTE

Les dames et les jeunes filles éclataient de rire en entendant une nouvelle. Le parfum des gâteaux sortant du four remplissait la pièce. Voilà l'atmosphère d'une corvée de piquage de courtepointe.

Les femmes, mariées ou célibataires, et les jeunes filles se réunissaient chez une voisine pour la corvée de piquage d'une courtepointe. Elles s'asseyaient autour d'un cadre de bois artisanal et piquaient la courtepointe pour former un dessin. Les aiguilles entraient dans le tissu et en ressortaient pour faire des milliers de tout petits points. Il fallait des courtepointes chaudes et épaisses pour ne pas avoir froid en hiver.

Les hommes aidaient parfois à piquer les courtepointes en hiver,

Une courtepointe sert de couvre-lit. Elle se compose de plusieurs pièces de tissu cousues ensemble.

La fabrication de courtepointes est un art qui se pratique encore de nos jours. De nombreux groupes se réunissent pour travailler ensemble, comme les colons du passé.

lorsqu'ils ne pouvaient pas travailler dans les champs.

Même les petits enfants pouvaient participer. Ils s'asseyaient sous le cadre et tiraient les aiguilles par en dessous. Puis ils les poussaient vers le haut.

On servait du thé et des gâteaux dans l'après-midi.

ACTIVITÉS

1. Lorsque plusieurs familles s'étaient installées dans une région, elles organisaient généralement une «corvée communautaire». Tout le monde se réunissait pour construire des bâtiments qui serviraient à l'ensemble de la communauté. Quels types de bâtiments communautaires construisait-on, d'après toi?

2. Organise une «corvée de nettoyage» dans ton école ou ta communauté. Tu peux nettoyer la cour de l'école, les parcs, les ruisseaux ou les rues.

3. Nombre de personnes d'une même religion, comme les mennonites, se sont installées dans la même communauté. Quel en est l'avantage?

4. À ton avis, que signifie l'expression «Dur labeur s'allège à plusieurs»?

Fabrique une lanterne en fer-blanc

Pendant les épluchettes, les colons mettaient leurs bougies dans des lanternes pour éviter tout risque d'incendie.

Voici ce dont tu as besoin : une petite boîte de conserve propre, sans le couvercle (398 mL), un feutre à encre indélébile, du papier journal, des clous de différentes tailles, un marteau et une petite bougie.

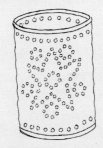

1. Remplis la boîte de conserve d'eau. Mets-la dans le congélateur pour congeler l'eau.
2. Dessine le motif que tu souhaites obtenir sur une feuille. Avec ton feutre, reporte le motif sur la boîte de conserve.
3. Pose la boîte sur le côté, sur une pile de journaux. Demande à une ou un adulte de planter des clous de différentes tailles en suivant ton motif.
4. Fais fondre un peu la glace avec de l'eau chaude et retire-la. Fais sécher la boîte.
5. Demande à une ou un adulte de faire couler de la cire chaude dans le fond de la boîte. Place la bougie éteinte sur la cire tiède. (Attention : le bord intérieur de la boîte est coupant.)
6. Demande à une ou un adulte d'allumer la bougie. Regarde les dessins que les trous pratiqués dans la boîte font sur les murs.

es colons n'avaient pas une minute pour se reposer, pas même après la récolte! Ils n'avaient pas de réfrigérateurs pour garder les aliments. Il fallait les **conserver** ou les sauvegarder pour l'hiver. Il y avait plusieurs façons de faire. Les plus répandues étaient le séchage, la salaison, le marinage et le fumage.

LE SÉCHAGE

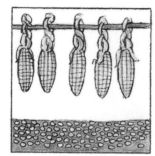

On abaissait les enveloppes de maïs et on les tressait. Ensuite, on les suspendait pour les faire sécher. Puis on grattait les grains pour les détacher et on les étalait. Les grains séchés étaient conservés dans des sacs de tissu ou des petits barils en bois.

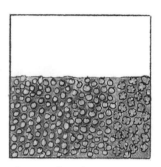

On étalait les pois et les petites baies sur des treillis ou des draps pour les faire sécher.

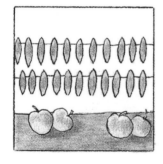

On épluchait et on évidait les fruits, puis on les coupait en tranches. Les tranches étaient enfilées sur des ficelles ou des bâtons. Ensuite, elles étaient suspendues pour le séchage.

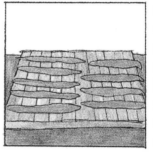

On découpait la viande et le poisson en lanières que l'on étendait sur des treillis. Lorsque l'action du soleil en avait enlevé toute l'humidité, on pouvait les conserver longtemps.

LA SALAISON ET LE MARINAGE

La méthode la plus utilisée pour empêcher la viande et le poisson de se gâter était la salaison. On découpait la viande en morceaux qu'on lavait. Des petits coléoptères s'introduisaient parfois dans la viande. Il fallait les en déloger avant de la saler. On frottait ensuite chaque morceau de viande avec du sel. Puis on mettait les morceaux dans un baril en ajoutant du sel entre chaque couche. On recouvrait ensuite la viande d'eau, ce qui faisait une saumure. La saumure pénétrait la viande. Le processus durait plusieurs semaines. L'un des aliments de base des premiers colons était le porc salé.

Les colons faisaient mariner certains aliments dans du vinaigre. Ils faisaient leur vinaigre à partir de cidre. On laissait la bouteille de cidre ouverte jusqu'à ce que l'air transforme le cidre en vinaigre. Les aliments les plus communément marinés étaient les oignons, les concombres et les melons.

La viande la plus communé-ment fumée était le porc. Les premiers colons fumaient aussi le poisson et la dinde.

LE FUMAGE

L'une des façons d'empêcher la nourriture de se gâter était le **fumage.** Cette technique permettait aussi de relever le goût de la viande.

Au début, les premiers colons se contentaient de suspendre la viande au-dessus de leur foyer. Plus tard, ils ont construit des fumoirs, soit de petites cabanes de bois, pour fumer leurs aliments. On creusait un trou dans le sol du fumoir et on le tapissait de pierres. On faisait alors un feu dans le trou avec du bois «vert» (non sec) pour qu'il brûle lentement. On se servait souvent de bois de noyer parce qu'il donnait le meilleur goût à la viande.

Avant de fumer leur viande ou leur poisson, les colons devaient les saler dans de la saumure. Ils les faisaient ensuite sécher soigneusement. Puis ils suspendaient la viande ou le poisson séchés au plafond pour les fumer. Ils laissaient le feu couver pendant près d'une semaine. Cela permettait à la fumée de bien pénétrer la viande.

L'ENTREPOSAGE

Les colons entreposaient les légumes racines comme les pommes de terre, les navets et les carottes dans un trou creusé dans le sol. C'est ce qu'on appelait la **cave à légumes.** Elle était généralement tapissée de pierres. Les pierres gardaient la nourriture au froid en hiver (sans qu'elle gèle) et au frais en été.

Les pionnières et les pionniers plaçaient une couche de paille sur les pierres. Les légumes crus étaient déposés sur la paille jusqu'à ce que le trou soit à moitié rempli. Ensuite, les colons ajoutaient de la paille et une autre couche de légumes.

ACTIVITÉS

1. Consulte le Guide alimentaire canadien. Crée un menu sain pour le souper d'une famille de premiers colons. Utilise uniquement des aliments que les premiers colons pouvaient trouver.

2. Pendant de nombreux siècles, on a préservé la viande en la salant et en la fumant. Quelles méthodes utilise-t-on de nos jours?

LE SAVAIS-TU ?

Sel + Eau = Saumure

Oignons + Vinaigre = Oignons marinés

ne fois que la famille de colons avait construit son premier abri, elle défrichait davantage de terre. Il était ensuite temps de construire la maison dans laquelle la famille allait vivre pendant de nombreuses années. La plus grande partie du travail de construction était fait à la main. Pendant des mois, on coupait, on ébranchait et on traînait les arbres. C'est seulement alors que le colon pouvait commencer à construire.

1. Les colons abattaient des arbres de 25 à 35 cm de diamètre. Ils ramassaient aussi les pierres sur leur terre et les entassaient. On pouvait utiliser des pierres pour tapisser les parois de la cave et du foyer.

2. Les colons traînaient les arbres jusqu'à l'emplacement où ils voulaient construire leur maison. Ils coupaient les troncs à la bonne taille et les équarrissaient. Il était ainsi plus facile de les superposer. On taillait des encoches aux extrémités des rondins pour qu'ils s'imbriquent.

3. La famille creusait les **fondations,** soit la cave. Elle tapissait les parois de pierres. On faisait rouler les rondins jusqu'à l'endroit où ils formeraient les murs. On découpait la porte et les fenêtres.

4. Assez tôt, les colons ont fait leur toit avec des demi-billes creuses. Plus tard, ils les ont remplacées par des bardeaux. La porte était faite de grosses planches. Pour se protéger de la pluie et du froid, on remplissait les espaces entre les rondins avec de la mousse, un enduit à la chaux ou des bâtons et de l'argile.

5. La famille construisait le foyer avec des pierres des champs. On fixait ensuite les pierres avec de l'argile et de la paille. Parfois le foyer ou la cheminée prenait feu. Les colons gardaient une échelle à l'extérieur pour atteindre le toit. Cela leur permettait d'éteindre rapidement les incendies dans les cheminées.

ACTIVITÉS

1. Dessine l'intérieur d'une maison de bois en ajoutant des légendes. Montre où tu placerais la porte, les fenêtres et le foyer.

2. En petits groupes, dressez la liste des matériaux de construction dont vous auriez besoin pour construire la maison que vous avez dessinée. Discutez de l'endroit où vous trouveriez ces matériaux.

es premiers colons ont dû défricher de vastes éten-
dues de terre avant de pouvoir commencer à faire de
l'agriculture. C'était une tâche difficile. Mais les forêts
ont aussi permis aux colons de subvenir à de nombreux besoins quotidiens.

Les premiers colons devaient souvent trans-porter l'eau du cours d'eau le plus proche sur de longues distances. Une **palanche** *en bois permettait de porter deux seaux. Le poids de la palanche reposait sur les épaules. On tenait les seaux avec les mains pour ne pas renverser d'eau.*

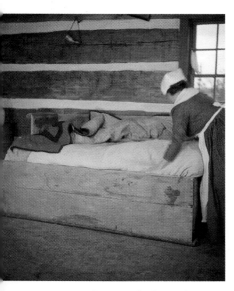

Un banc de bois le jour et pouf! un lit à deux places pour la nuit!

Entourés de forêts, les pionnières et les pionniers vivaient dans un monde tout en bois. Ils construisaient leur maison en bois. Ils mangeaient dans des assiettes et des bols en bois. Les bœufs qui traînaient les rondins ou labouraient les champs por-taient un **joug** (ou un harnais) en bois. Les charrues étaient également faites en bois.

La plupart des meubles dans les maisons des colons étaient en bois. Les tables, les bancs et les chaises étaient faits à la main dans du bois de feuillus comme le chêne, l'orme et l'érable. Le bois de pin était souvent utilisé parce que c'est un bois très ten-dre. Il est donc plus facile à couper et à tailler.

Les colons avaient besoin de grandes quantités de bois de chauffage pour cuisiner et pour chauffer leur maison. Le bois de chauffage provenait de bûches coupées, fendues et entreposées au sec. Souvent, les colons utili-saient plusieurs **cordes** de bois en hiver. Une «corde» est une façon de mesurer le bois coupé.

Avec le temps, les colons ont fabriqué des bardeaux pour le toit de leurs maisons. Les bardeaux provenaient généralement de blocs de cèdre. Ce type de bois se fend aisément et se conserve longtemps.

CERTAINS ARBRES ÉTAIENT MEILLEURS QUE D'AUTRES

Les premiers colons étaient heureux de trouver leur terre recouverte d'arbres à feuilles caduques comme l'érable, le chêne, l'orme et le frêne. Ces arbres indiquaient généralement que le sol était riche et dépourvu de marécages. La présence de cèdres ou d'autres **conifères** signifiait souvent que le sol était humide et marécageux.

LES NOIX

Au printemps, les familles de colons s'aventuraient dans la forêt à la recherche de noix, de noisettes et de châtaignes. Ils recueillaient les noix et les entreposaient pour l'hiver. Les cochons se régalaient des glands tombés sur le sol, sous les chênes. Cela donnait bon goût à leur chair.

Les colons utilisaient la moitié d'un tonneau pour laver les vêtements et pour prendre un bain. Quel usage faisaient-ils du petit seau ?

ACTIVITÉ

1. Fais une recherche dans Internet ou à la bibliothèque pour trouver des renseignements sur les groupes qui essaient de sauver les arbres.
   (Conseil: informe-toi auprès d'Environnement Canada.)
   a) Quel est le but de l'un de ces groupes ?
   b) Quelles sont ses recommandations ?

Les colons avaient parfois des problèmes de santé. Des problèmes qui sont aujourd'hui mineurs étaient souvent graves pour eux. Si tu avais mal à une dent, est-ce que le dentiste te l'arracherait? Si tu te faisais mal à un bras, le médecin te le couperait-il? Si tes pieds te faisaient mal, les frotterais-tu avec de l'huile de serpent? C'était pourtant là des remèdes courants pour les colons canadiens!

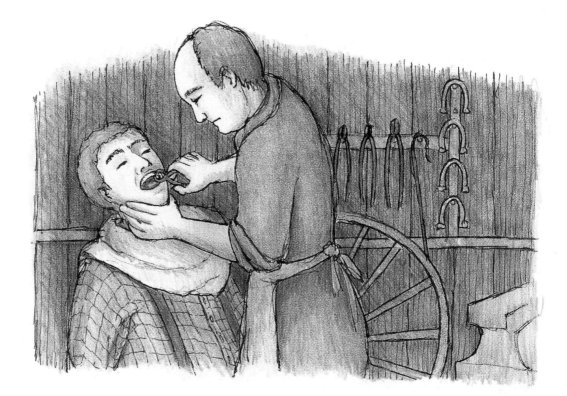

MAL AUX DENTS? ALLONS VOIR LE FORGERON

Combien de fois par jour te brosses-tu les dents? Les premiers colons se nettoyaient les dents à peu près une fois par semaine. Ils utilisaient un tissu sur lequel ils étalaient une pâte à base de sel ou de poudre à canon.

Les parents et les enfants souffraient souvent de maux de dents. Lorsque la douleur devenait trop vive, ils demandaient de l'aide. S'il n'y avait pas de médecin ou de dentiste dans les environs, le forgeron faisait le plombage ou arrachait la dent cariée. La plupart des colons préféraient la faire arracher.

Le forgeron coupait la gencive autour de la dent cariée avec un couteau. Ensuite, il la saisissait avec des pinces et l'arrachait. Il n'y avait pas d'**anesthésique** pour calmer la douleur. À 35 ans, beaucoup de colons n'avaient plus de dents.

Une perte douloureuse

Les premiers colons n'étaient pas *toujours* contents de voir arriver le médecin. Si un colon avait un bras ou une jambe gravement blessé, le médecin n'avait parfois pas d'autre choix que de **l'amputer,** c'est-à-dire de couper le membre avec une scie. Sinon le patient risquait de mourir d'une infection appelée la **gangrène.**

L'huile de serpent et autres remèdes

Les médecins ne savaient pas guérir les infections en ce temps-là. Personne ne connaissait les microbes qui les causaient.

La personne restait consciente pendant l'opération. Le médecin pouvait lui donner du whisky ou de l'opium pour soulager la douleur. Mais rien ne la soulageait vraiment.

LA SOLUTION DU BARBIER

Les premiers colons pensaient que beaucoup de maladies provenaient de poisons dans le sang. Ils pensaient que si on leur enlevait un peu de sang (ce qu'on appelait faire des **saignées**), ils se débarrasseraient de ces poisons.

Un poteau rouge avec un bol et une bande de tissu blanc à l'extérieur de la boutique du barbier signifiait que ce dernier pratiquait les saignées, en plus de raser la barbe et de couper les cheveux. Le barbier faisait une petite incision dans le cou ou le poignet de la personne malade. Le sang s'écoulait dans un bol. Perdre un peu de sang ne pouvait pas faire de mal à un malade. Mais on vidait souvent trop de sang. Cela affaiblissait la personne et la rendait encore plus malade.

On utilisait aussi des sangsues et des vers pour les saignées. On plaçait deux ou trois sangsues, ou plus, sur une artère de la personne. Chaque sangsue enflait à mesure qu'elle suçait le sang. Lorsqu'elle était pleine, elle lâchait prise et tombait. Les mêmes sangsues pouvaient servir plusieurs fois. On les gardait dans un pot recouvert d'un tissu. Les premiers colons gardaient des sangsues chez eux.

Le premier hôpital du Haut-Canada a été construit à York (l'ancien nom de Toronto), au coin des rues King et John. Le York General Hospital est resté ouvert de 1829 à 1854.

LES EMPLÂTRES ET LES CATAPLASMES

Un emplâtre ressemblait à un sandwich. Au lieu du pain, on utilisait deux morceaux de tissu souple. À l'intérieur, il y avait une pâte molle composée d'ingrédients comme des flocons d'avoine, des oignons, des herbes et du pain. On appliquait souvent un **sinapisme** (emplâtre à base de farine de moutarde) sur la poitrine ou sur le dos pour soulager la toux. Ces emplâtres irritaient la peau et sentaient fort. Les enfants ne les appréciaient pas! Après, on frottait la peau avec de la graisse d'oie pour calmer l'irritation.

Un cataplasme était plus petit qu'un emplâtre. On s'en servait pour retirer les échardes ou pour vider le pus des furoncles ou des piqûres. On utilisait souvent une pâte à base de cassonade, de savon mou et d'eau chaude.

L'HUILE DE SERPENT

Certains colons ont gagné de l'argent en tuant des crotales pour leur huile. Ils suspendaient le crotale (serpent à sonnettes) mort au-dessus d'un feu. À mesure que le serpent grillait, le gras qui s'écoulait du corps était récolté et mis en bouteille. On le vendait aux colons pour traiter les rhumatismes.

LE SAVAIS-TU?

Il y avait beaucoup de crotales au milieu des années 1700 dans la région de Niagara. Il y a encore des crotales dans la péninsule Bruce aujourd'hui. On les appelle des crotales « massassaugas ».

Voici une page du calepin d'un apothicaire ou d'un pharmacien. Elle décrit trois remèdes contre les rhumatismes. Remarque le nombre de plantes utilisées. En ce temps-là, le pharmacien recommandait des plantes plutôt que des pilules.

Rhumatismes

Écorce et racines séchées de cunifuge en grappes, ou racine de courge, ou herbe de Saint-Christophe 30 g
Verser 1,1 L d'eau chaude dessus.
Laisser reposer 48 heures. Secouer.
Dose : 1 cuillère à soupe (15 mL), une heure après les repas.

Autre remède :

30 mL de gin, 30 g de racine séchée.
Laisser reposer 3 jours. Bien secouer avant usage.
Dose : 1 cuillère à soupe (15 mL) avant les repas et au coucher.

Autre remède :

Écorce de frêne épineux, polymnia jaune, herbe de Saint-Christophe, 2 cuillères à soupe (45 mL) de chaque ingrédient. Racine de cocaïne, 1 cuillère à thé (5 mL). Placer dans 4,5 L de whisky ou d'eau bouillie.
Laisser reposer 3 jours avant usage.
Dose: 1 cuillère à soupe (15 mL) après chaque repas.
Si le remède est trop fort, diluer dans de l'eau.

LE SAVAIS-TU ?

Les premiers colons croyaient que s'ils se baignaient trop souvent, ils perdraient les précieuses huiles corporelles qui les protégeaient des maladies.

IL FAUT QUELQUES RÈGLES !

Utiliserais-tu une cuillère et une fourchette sales dont quelqu'un d'autre vient de se servir? Boirais-tu dans une tasse non lavée que quelqu'un d'autre vient d'utiliser? Probablement pas. C'est parce que tu sais que les microbes se propagent rapidement ainsi. Les premiers colons ne connaissaient pas les microbes. Ils ignoraient que des mains sales transmettent les microbes aux autres.

Dans les auberges, les premiers colons dormaient tous dans la même pièce. Il n'y avait pas de chambres privées. On ne changeait pas les draps. Plusieurs personnes différentes dormaient dans les mêmes draps nuit après nuit. Les gens partageaient l'eau pour se laver ou se lavaient même dans l'abreuvoir des chevaux. Beaucoup ne se lavaient pas du tout. Il n'est pas étonnant que les maladies se soient répandues rapidement parmi les premiers colons.

Y A-T-IL UN MÉDECIN ICI ?

Quelques médecins sont venus dans le Haut-Canada comme colons. Ils ont installé leur cabinet chez eux. Souvent, cependant, les colons étaient trop malades pour faire un long déplacement et se rendre chez le médecin. Les médecins voyageaient donc souvent à cheval. Ils franchissaient de grandes distances à travers les forêts pour rendre visite à leurs patientes et patients.

L'huile de serpent et autres remèdes

Les médecins pouvaient replacer des fractures simples et suturer des plaies. Ils pouvaient aussi assister aux accouchements et donner des médicaments contre la fièvre. Les colons payaient souvent le médecin avec des légumes et de la viande. Parfois, ils faisaient aussi certains travaux pour lui.

Parfois, le médecin était aussi l'**apothicaire** local, ou le pharmacien. Il utilisait des plantes qui guérissaient les maladies moins graves. Le médecin apprenait souvent à sa femme ou à sa fille comment mélanger les plantes. Cette dernière devenait à son tour apothicaire.

À la page 26, il y a trois traitements différents pour les **rhumatismes,** une maladie douloureuse qui fait enfler les articulations. Ils sont extraits du calepin d'un apothicaire.

LES CHARLATANS

Les charlatans étaient des gens qui faisaient semblant de connaître la médecine. Ils gagnaient de l'argent en vendant de faux médicaments aux colons. Ils mentaient sur leurs traitements. Ils faisaient de la publicité sur leurs toniques dans les journaux et les magasins généraux.

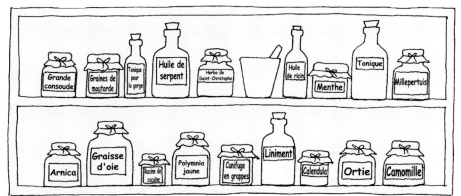

Beaucoup de colons étaient heureux d'essayer quelque chose qui, pensaient-ils, les guérirait. Mais la plupart des toniques et des mélanges qui leur étaient vendus étaient dangereux.

LES MALADIES

Beaucoup des maladies qui étaient fatales pour les pionnières et les pionniers sont aujourd'hui rares ou peuvent être soignées. Tu connais peut-être certaines des maladies suivantes, courantes chez les premiers colons : les oreillons, la rougeole, la varicelle, la coqueluche, l'agueusie (perte du sens gustatif), le paludisme et la pneumonie.

Il y avait aussi la **tuberculose.** Une personne qui avait la tuberculose toussait et envoyait les bactéries dans l'air. D'autres personnes les respiraient et étaient infectées. La mort s'ensuivait généralement.

L'apothicaire gardait ses étagères bien garnies de remèdes de fabrication artisanale.

ACTIVITÉS

1. En groupes de quatre, réfléchissez aux raisons pour lesquelles la plupart des premiers colons n'avaient pas une bonne hygiène. Choisissez les cinq meilleures raisons de votre liste. Expliquez pourquoi vous pensez que ces raisons ont contribué à la propagation des microbes et des maladies.

2. Dessine une affiche ou conçois une brochure sur la santé. Indique quelques règles de santé à suivre tous les jours pour éviter la propagation des microbes. Expose ton affiche ou ta brochure.

3. Quels remèdes maison ta famille utilise-t-elle aujourd'hui ?

4. Quel symbole ou enseigne les barbiers utilisent-ils pour leur boutique de nos jours ? D'où vient ce symbole ?

Est-ce que tu tiens un journal intime? Certains des premiers colons le faisaient. Ils racontaient leur vie quotidienne dans le Haut-Canada dans les années 1700 et 1800. Il est amusant de lire ce que les premiers colons écrivaient à propos des routes.

Voici ce qu'écrivait un prédicateur itinérant qui voyageait tous les jours à cheval dans des régions reculées:

«Mon chemin était une vieille piste autochtone tortueuse. Aucun chariot n'était passé par là auparavant. Je devais faire sauter mon cheval par-dessus des troncs d'arbres. Je devais aussi le faire passer dans des bourbiers et des cours d'eau. C'était difficile de savoir où j'étais.»

Les colons savaient qu'il fallait défricher et élargir les sentiers. Ils ont coupé des arbres des deux côtés des chemins tortueux. Ils en ont fait des routes assez larges pour le passage des chariots. C'est ce qu'on appelait des **chemins de roulage.** Après une pluie abondante, la surface des chemins de roulage se changeait en boue épaisse. Les colons ont donc trouvé une solution. Puisque beaucoup d'arbres étaient déjà abattus, ils ont placé des rangées de troncs d'arbres sur les chemins de roulage. Les routes ressemblaient à du velours côtelé. On les appelait des **chemins de rondins.**

D'après toi, comment pouvait être un voyage avec un cheval et un chariot sur ces chemins? Voici ce qu'un colon a écrit à ce sujet:

«Nous avons voyagé sur des troncs d'arbres posés par-dessus des marécages, c'est-à-dire des chemins de rondins. J'étais violemment secoué. Mes mains étaient gonflées et couvertes de cloques à force de m'accrocher à la barre de fer du chariot pour ne pas tomber en bas.»

Les colons ont continué à faire des **expériences** ou à essayer différentes solutions. Ils ont installé sur les routes des planches de bois longues et épaisses. Elles étaient soutenues par des poutres en bois. Ils ont ensuite

Une fillette de 12 ans qui voyageait avec ses parents a écrit ce qui suit au sujet des chemins de roulage: «Les bœufs ne bougeaient plus. Le conducteur est allé à l'avant. Il a constaté que le sol était si mou que le chariot ne pouvait plus avancer. Les bœufs s'enfonçaient dans la boue jusqu'en haut de leurs pattes. Nous avons fait de notre mieux pour continuer.»

Des sentiers aux routes pavées

En 1792, Mme John Graves Simcoe pensait que les chemins de rondins étaient mauvais, mais elle a trouvé les ponts de rondins effrayants.

« Les ponts sont faits de troncs d'arbres simplement posés en travers sur des pièces de bois placées dans la longueur. Des arbres pourris s'effondrent parfois. La patte du cheval passe au travers et peut se briser. Le cheval que je monte maintenant est tombé à travers un vieux pont une fois. Il avance très prudemment maintenant. »

cloué les planches et les ont recouvertes de sable. La route avait ainsi une surface régulière. En plus, sa construction ne coûtait pas cher. Le premier **chemin de planches** a été construit en 1835. C'était un bout de route qui partait de Toronto et allait vers l'est. On pouvait y atteindre une vitesse de 13 km/heure!

Un colon écrivait dans son journal intime :

« Les meilleures routes sont les chemins de planches. Je n'en avais jamais entendu parler avant d'arriver au Canada. »

On a eu une autre idée. John McAdam était un constructeur de routes écossais. Il pensait qu'il fallait paver les routes avec des pierres concassées et les surélever par rapport au terrain alentour. Ainsi, la pluie s'écoulerait dans les fossés de chaque côté. La circulation sur la route tasserait les pierres.

La route de Kingston (entre Kingston et Napanee) a été la première route macadamisée (McAdam - isée) du Haut-Canada. Vers la fin des années 1830, une partie de la rue Yonge, à Toronto, a été macadamisée.

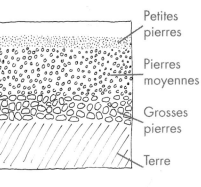

Coupe transversale d'une route macadamisée. Il y avait trois couches. Les plus petites pierres étaient sur la partie supérieure. Au milieu se trouvaient les pierres de taille moyenne. Au fond, on avait placé les plus grosses pierres. Cela donnait une route qui durait longtemps et restait praticable après les grosses pluies.

ACTIVITÉS

1. Quels dangers un prédicateur itinérant ou son cheval pouvait-il rencontrer en voyageant sur une piste autochtone a) en hiver? b) au printemps?

2. Les chemins de planches duraient à peu près 20 ans. En groupes de quatre élèves, trouvez pourquoi.

3. Pourquoi les chemins de planches ne coûtaient-ils pas cher à construire?

L'hiver était le meilleur moment pour voyager par voie terrestre. La neige fermement tassée et les lacs glacés faisaient de bonnes routes pour les colons. Cela leur permettait de se rendre à des endroits qu'ils ne pouvaient pas atteindre à d'autres moments de l'année.

Tout d'abord, ils s'emmitouflaient dans des peaux d'ours pour se protéger du vent froid. Ensuite, ils s'installaient dans leur traîneau de bois tiré par un cheval ou un bœuf. Ils allaient alors rendre visite à leurs amies et amis. Ils allaient aussi au village le plus proche pour s'approvisionner ou faire des affaires.

*Les chevaux tiraient aisément des **traîneaux légers** équipés de patins de métal, qui glissaient sur les routes recouvertes de neige compacte et sur les lacs gelés. On attachait souvent des clochettes aux harnais des chevaux. Généralement, une famille savait qui venait lui rendre visite. Elle reconnaissait les clochettes au loin. Les clochettes servaient aussi à prévenir les autres traîneaux qu'on se rapprochait.*

DANGER – GLACE MINCE !
On se déplaçait plus rapidement en voyageant sur les lacs et les rivières gelés. Mais il y avait beaucoup de dangers. Les personnes et les traîneaux tombaient souvent à travers la glace. Les gens et leurs chevaux ou leurs bœufs étaient alors entraînés sous l'eau. Mme Simcoe a écrit dans son journal intime :

«Les gens voyagent avec des cordes qu'ils attachent au cou de leur cheval au cas où ce dernier tomberait à l'eau. Lorsqu'on tire sur la corde, le cheval cesse de respirer. Il flotte et on peut le sortir. On retire alors la corde aussi vite que possible. Le cheval peut ensuite reprendre le voyage normalement.»

UNE FOIS LA GLACE FONDUE
Quand la neige avait fondu et que le sol commençait à se ramollir, les premiers colons voyageaient à pied à travers les forêts. Quand les routes ont été élargies, ils ont utilisé des bœufs pour tirer leur chariot ou leur charrette. Les bœufs sont puissants et tirent donc bien les attelages. Mais ils sont très lents.

Les chevaux sont beaucoup plus rapides. Les pionnières et les pionniers appréciaient les chevaux pour le travail à la ferme et aussi pour le transport. Peu à peu, le cheval a remplacé le bœuf pour tous les travaux, à l'exception des très gros travaux. Un cheval seul pouvait tirer un attelage ou un traîneau. Plusieurs chevaux pouvaient tirer des chariots ou des diligences.

LES CHEMINS DE FER
Le premier chemin de fer du Haut-Canada reliait les lacs Érié et Ontario. Il a été construit en 1839. Son itinéraire passait du

Voyager par voie terrestre

*Les premières **diligences** servaient à voyager sur de grandes distances d'une ville à l'autre. Elles n'étaient pas conçues pour le confort des gens. Il n'y avait aucun ressort pour absorber les chocs. Les sièges intérieurs étaient comme des bancs sans dossiers. Souvent, il y avait jusqu'à neuf personnes serrées à l'intérieur.*

sud au nord des chutes Niagara. Ce chemin de fer s'est révélé très précieux pour transporter les produits du lac Ontario au lac Érié. À certains endroits, cependant, les côtes étaient trop prononcées et les voitures s'immobilisaient.

Pendant quelques années, les voitures ont été tirées par des chevaux. Plus tard, on a utilisé une locomotive à vapeur.

Plusieurs compagnies ont tenté de construire des voies ferrées dans le Haut-Canada. La Grand Trunk Railway assurait le transport dans le Haut-Canada et le Bas-Canada. Pendant un certain temps, cela a été le plus grand système ferroviaire du monde.

*Les mennonites ont introduit le **chariot conestoga** au Canada. Les grandes roues du chariot l'empêchaient de heurter les bosses et les pierres sur la route. Il pouvait traverser des masses d'eau peu profondes sans mouiller les passagères et les passagers. Les côtés élevés empêchaient les bagages de tomber.*

ACTIVITÉ

1. De nos jours, toutes les personnes énumérées plus bas auraient une vision différente du voyage en hiver. Constituez des groupes de quatre ou cinq. Choisissez une personne de la liste ci-dessous et notez son point de vue. Vous devrez partager vos réponses avec le reste de la classe.

   a) Le conducteur d'un gros camion de transport
   b) La conductrice d'une motoneige
   c) Un skieur
   d) Une personne en fauteuil roulant
   e) Une petite fille

L a plupart des premiers colons se sont installés près de rivières ou de lacs. Les cours d'eau sont devenus leurs routes. Le bateau était souvent le moyen le plus rapide pour transporter du blé jusqu'au moulin ou pour se rendre au marché le plus proche.

Une pirogue
Un canot en écorce
de bouleau

*Une **goélette** était un voilier à un ou deux mâts. Ce type d'embarcation était rapide et facile à manœuvrer. Nombre de goélettes transportaient de la marchandise et des personnes sur les Grands Lacs.*

La **pirogue** était commune. Elle était fabriquée dans une seule bille de bois que l'on avait évidée pour faire de la place pour s'asseoir. Ce type de canot était bien adapté à la chasse et à la pêche, car il faisait peu de bruit sur l'eau. Certaines pirogues étaient assez grandes pour contenir des provisions et quatre ou cinq personnes. Les plus grandes pirogues étaient parfois utilisées comme traversiers.

Les peuples autochtones se servaient du **canot en écorce de bouleau** pour parcourir de grandes distances. Ce canot était assez léger pour qu'une personne puisse le transporter lors des **portages.** Les portages étaient les passages terrestres où il fallait porter les canots pour éviter des rapides ou pour atteindre un autre cours d'eau. À cause de son poids léger, le canot pouvait aussi chavirer facilement dans des eaux tumultueuses.

Lorsque l'on ne s'en servait pas, on attachait le canot à des petits piquets plantés dans le sol. En effet, un simple coup de vent pouvait l'emporter ou l'endommager.

LES RADEAUX

Les radeaux étaient des embarcations constituées de troncs d'arbres et d'autres pièces de bois attachés ensemble. On s'en servait pour transporter des fournitures sur de petites distances sur des eaux calmes, surtout des rivières. Certains colons s'en servaient pour transporter leurs meubles chez eux.

LE BATEAU À VAPEUR

Au début, dans les **bateaux à vapeur,** on utilisait la vapeur de l'eau bouillante pour faire tourner les roues à aubes. Plus tard, on a

L'Accommodation, construit en 1809, a été le premier bateau à vapeur à naviguer sur le Saint-Laurent.

*Les **bateaux** étaient des voiliers à fond plat. Lorsqu'il n'y avait pas de vent, on pouvait les déplacer à l'aide de perches. Les passagères, les passagers et les rameurs s'asseyaient sur des petits bancs installés en travers du bateau. On s'en est servi pendant près d'un **siècle** (100 ans).*

remplacé les roues à aubes par des propulseurs. Au début, beaucoup de gens ne faisaient pas confiance aux bateaux à vapeur. Ils avaient raison! Les chaudières des bateaux à vapeur explosaient souvent. Cela se produisait lorsque le feu devenait trop chaud. Il produisait alors plus de vapeur que nécessaire. Comme leur chaudière tombait souvent en panne, les premiers bateaux à vapeur avaient aussi des voiles.

Avec le temps, les bateaux à vapeur sont devenus plus fiables et plus confortables. Ils offraient de meilleurs sièges, de bons repas et même de la musique. Dans les années 1850, les bateaux à vapeur étaient très en vogue.

LE BATEAU À AUBES OU À ROUE

Sur un bateau à aubes ou à roue, des chevaux faisaient tourner une roue installée sur le pont. Cela activait un arbre qui faisait tourner une roue à aubes. Au début, on utilisait deux chevaux. Plus tard, cependant, on a utilisé jusqu'à cinq chevaux.

Le bateau à aubes servait souvent de traversier. Il y avait à l'époque peu de ponts pour traverser les rivières. Les traversiers étaient très répandus. Généralement, le traversier parcourait uniquement de petites distances. Dans les endroits où la rivière était étroite, les traversiers étaient parfois tirés d'une rive à l'autre par un système de cordes et de poulie.

ACTIVITÉ

1. Avec un groupe, dresse la liste de toutes les formes de voyages possibles par voie d'eau aujourd'hui.

LE SAVAIS-TU?

Aujourd'hui, la Société maritime CSL (Canada Steamship Line) est l'une des plus grandes compagnies de navigation en eau douce du monde.

 u sais combien les voies navigables étaient importantes pour les premiers colons. C'était le moyen le plus facile de voyager et la seule façon de transporter des marchandises lourdes. C'est pourquoi les premiers villages sont tous construits près des rives de lacs, de rivières et de criques.

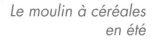

Le moulin à céréales en été

Les colons utilisaient l'eau pour boire, cuisiner, nettoyer et se laver. L'eau était également une source d'énergie importante. Les colons l'utilisaient dans leurs entreprises.

L'ÉNERGIE HYDRAULIQUE

Construire un barrage sur un cours d'eau proche pour former un réservoir : voilà une des premières choses qu'une communauté entreprenait. Les colons pouvaient alors libérer l'eau contenue dans le réservoir à travers une **vanne registre.** L'eau actionnait alors une **roue à aubes.** En s'écoulant, l'eau faisait tourner la roue. Cela créait l'énergie nécessaire pour faire fonctionner un moulin à céréales ou une scierie.

L'ouverture d'un moulin était un grand événement pour les fermiers. Les gens n'auraient plus besoin de passer des heures à moudre le blé à la main. Désormais, le moulin pouvait broyer le blé et les autres céréales pour en faire de la farine. On se servait de la farine pour faire du pain, l'aliment de base des colons.

La scierie permettait aux colons d'avoir du bois de construction. Ils apportaient leurs billes au moulin à bois pour les faire scier en planches ou en panneaux. Parfois, un colon troquait un excédent de farine contre du bois de construction.

LE RÉSERVOIR DU MOULIN

Le réservoir du moulin était la source d'eau du village, aussi bien pour boire que pour nettoyer et se laver. C'était également un lieu de

divertissement pour les familles. En été, elles s'y retrouvaient pour nager, faire du bateau et pêcher. En hiver, lorsque la glace était assez épaisse, le réservoir se transformait en patinoire. Les villages organisaient des carnavals. On pouvait patiner, faire des courses de traîneaux et rencontrer des amies et amis.

LE VILLAGE S'AGRANDIT

Le moulin à céréales et la scierie attiraient de nombreux colons. Les commerçants installaient leur commerce près du moulin ou de la scierie. Ils offraient des produits ou des services dont les colons avaient besoin. Souvent, le magasin général était le premier à ouvrir ses portes. La marchande ou le marchand offrait beaucoup de biens importants pour les colons, comme des clous et des outils. Pour les enfants des colons, il y avait des bonbons et d'autres friandises. Le magasin général fournissait toutes sortes de denrées.

Peu après l'ouverture du premier moulin, un forgeron s'installait dans le village. Le forgeron fabriquait des fers à cheval et réparait les outils des colons. Il offrait un service aux colons.

À mesure que de nouveaux colons arrivaient dans le village, d'autres marchandes et marchands et des gens de métier s'y installaient. Des médecins, des avocats, des enseignants et d'autres professionnels s'établissaient près du moulin.

LES FORTS

Certains villages se sont développés autour des forts. Ils ont pris naissance à cet endroit, car les forts offraient une protection en temps de guerre. Les soldats du fort étaient de bons clients. Ils étaient payés régulièrement et avaient donc de l'argent à dépenser pour acheter des produits et des services.

Attention !

Dans les premiers villages, il n'y avait ni égouts, ni ramassage des ordures ménagères. On jetait tout simplement les eaux usées et les ordures dans les rues ou même dans le réservoir du moulin. Les médecins ne connaissaient pas les microbes. Les colons ne savaient pas que les eaux usées et les ordures pouvaient les rendre malades. Une épidémie de choléra s'est déclarée dans les années 1830 parce que les gens buvaient de l'eau insalubre.

Les produits et les services

Tous les magasins et les commerces offrent des produits ou des services. Les produits sont généralement des biens que nous achetons comme des aliments, des vêtements ou des chaussures. Le magasin général vendait des produits. Les services sont des choses qu'une personne nous offre. Les enseignantes et les enseignants offrent un service, de même que les médecins et les avocates et les avocats. Les moulins à céréales proposaient un service aux colons en broyant leur blé.

ACTIVITÉS

1. Pense aux commerces suivants : l'épicerie, l'atelier de réparation de télévisions, le nettoyeur, la boulangerie, la quincaillerie.

   a) Lesquels fournissent des services ?

   b) Lesquels fournissent des produits ?

   c) Trouve des commerces qui fournissent les deux.

2. Écris une lettre à la société d'histoire de ta localité pour inviter un de ses membres à venir parler à ta classe des débuts de ta communauté.

*J'*adore l'odeur du pain qui cuit», dit Emily à maman. Emily est fatiguée de manger des biscuits de semoule de maïs durs. «J'aimerais qu'on fasse du pain *tous* les jours.»

«J'aimerais ça aussi, Emily. Mais c'est tellement long de moudre le blé à la main! Je suis contente qu'on soit en train de construire le nouveau moulin à céréales sur la rivière. Bientôt, nous aurons toute la farine dont nous avons besoin», dit maman.

LE PAIN ET LA FARINE

On fait le pain avec de la farine. La farine provient de céréales comme le blé et le maïs que l'on réduit en poudre. On réduisait le blé en farine, et le maïs en semoule.

Pour les premiers colons, il était difficile de moudre les céréales. À la main, il fallait de nombreuses heures pour obtenir assez de farine pour faire à peine quelques miches de pain.

APPORTER LES CÉRÉALES AU MOULIN

Avec l'ouverture d'un moulin à céréales, les colons gagnaient plusieurs heures de travail. Même ceux qui en étaient éloignés apportaient leurs céréales au moulin. Les colons pouvaient désormais faire pousser davantage de blé. On troquait le surplus de farine au magasin général ou avec les colons voisins.

Il fallait apporter les céréales au moulin une fois qu'elles étaient récoltées. Les sacs de céréales étaient lourds. Certains colons attendaient l'hiver. Ils pouvaient ainsi les déplacer en traîneau sur la neige. Cela facilitait la tâche.

La farine était un élément important de la vie des colons. Même s'il était très difficile de faire moudre les céréales, cela en valait toujours la peine.

LE MEUNIER MOUD LES CÉRÉALES

Le meunier avait un rôle important dans la communauté. Il

travaillait de longues heures, surtout pendant les récoltes. Il devait savoir comment moudre les céréales. Il devait aussi connaître toutes les parties de son moulin. Il devait pouvoir réparer les engrenages, les axes et la roue à aubes en cas de panne.

La roue à aubes du moulin était actionnée par l'eau de la rivière qui coulait dans le **bief.** Le débit de l'eau faisait fonctionner la roue. La roue à aubes était reliée par des engrenages et des axes aux **meules** ou pierres meulières.

Les meules étaient deux grandes pierres rondes posées l'une sur l'autre. Celle du bas était fixe. On l'appelait la **meule de fond.** Celle qui était placée par-dessus était actionnée par un axe fixé à la roue à aubes.

On pouvait régler la distance entre les deux meules selon le type de grain à broyer. Le grain de blé est plus petit que celui du maïs. Il faut donc mettre moins de distance entre les deux meules.

Lorsque le colon arrivait au moulin, le blé était pesé. On le mettait ensuite dans un bac à l'étage supérieur du moulin. Le blé s'écoulait par une goulotte en bois dans une **trémie** au-dessus des meules. À mesure que la pierre tournait, le blé de la trémie tombait sur les meules, qui le broyaient.

On payait le meunier pour son travail en lui laissant une partie de la farine. Dans beaucoup de villages, le meunier était une personne riche et admirée.

Les premiers colons devaient moudre leurs céréales à la main. Le grain était placé dans une souche creuse. On le broyait ensuite à l'aide d'une lourde pierre qui servait de **pilon.** Pour faciliter la tâche, on attachait la pierre à une branche qui surplombait la souche. Broyer les céréales à la main était une tâche longue et fatigante.

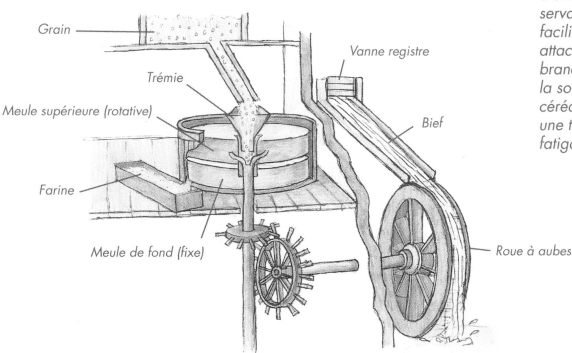

Grain
Trémie
Vanne registre
Meule supérieure (rotative)
Bief
Farine
Meule de fond (fixe)
Roue à aubes

ACTIVITÉS

1. Certains des premiers moulins à céréales étaient actionnés par le vent. Pourquoi penses-tu que cette source d'énergie n'était pas fiable?

2. Dessine une série de dessins qui illustre le processus que les colons devaient suivre pour obtenir une miche de pain. Commence par le blé qui pousse dans le champ.

Emily n'a pas fermé l'œil de la nuit. Sa tête est pleine des images de la veille.

«Emily, chuchote papa, essaie de dormir un peu. La route sera longue pour aller en ville demain. Il faudra partir tôt.»

Emily ferme les yeux. Elle ressent encore l'excitation de voir arriver papa avec le chariot et les bœufs. Il lui semble entendre le bruit des lourds sacs de grain que Peter et papa ont laissés tomber dans le chariot. Emily se rappelle ce que maman a dit alors: «Si nous avons du beurre et des œufs en surplus à troquer au magasin général, il y aura une gâterie.» Toute la journée, Emily et Robert ont agité énergiquement le battoir dans la baratte à beurre, à tour de rôle. Emily est certaine qu'il y aura une gâterie!

Imagine comme il devait être amusant pour les colons d'aller au magasin général. Les enfants étaient toujours excités. Ils se demandaient quels genres de bonbons ils trouveraient dans les pots en verre sur le comptoir, quels nouveaux jouets il y aurait.

Les hommes examinaient les outils. Les femmes admiraient la laine et le coton d'autres pays. Il y avait des plats en porcelaine et des bougies faites à la main. Si la récolte avait été bonne, il y aurait un surplus de farine à troquer contre certains de ces articles.

UN LIEU DE RENCONTRE

Il était difficile de savoir ce que les colons aimaient le plus : voir tous les nouveaux articles du magasin ou rencontrer d'autres familles. Les enfants comme les adultes se faisaient de nouveaux amis et amies. Ils échangeaient les dernières nouvelles et quelques potins.

Le marchand leur rapportait des nouvelles du monde quand il revenait de la ville où il allait chercher ses produits. Parfois, il ramenait un journal qu'il épinglait sur un mur du magasin. On se réunissait autour pour le lire. Le magasin général était un lieu de rencontre pour toute la communauté.

UN CENTRE DE TROC

Le magasin général était également le centre de troc des colons. Ils apportaient les surplus de leur récolte pour les troquer contre les objets dont ils avaient besoin. Le marchand tenait un registre avec le détail de ce que chaque famille lui devait. Une ou deux fois par an, les gens devaient payer leurs dettes.

Le magasin général était souvent un immeuble à deux étages. On exposait les produits dans les grandes fenêtres. Il y avait généralement un poteau d'attache à l'entrée. C'est là que les colons attachaient leurs chevaux pendant qu'ils étaient dans le magasin.

À l'intérieur, des seaux et des lanternes pendaient au plafond. Il y avait une balance sur le long comptoir. Derrière le comptoir, les étagères étaient remplies de denrées comme du thé, des flocons d'avoine et du sucre. Le marchand pesait ces aliments avant de les vendre.

Il y avait des contenants de verre alignés sur le comptoir. Chacun était rempli de délicieuses friandises comme de la gomme à mâcher ou de la réglisse. Les contenants étaient généralement munis d'un couvercle pour empêcher les petites mains de s'y glisser...

Faisons du beurre ensemble (c'est rapide et facile !)

Il te faut :
- 250 mL de crème à fouetter (à température ambiante)
- 1 petit contenant avec un couvercle
- 1 bol et 1 spatule en bois

Méthode :
1. Verse les 250 mL de crème à fouetter dans le contenant.
2. Ferme bien le couvercle et secoue le contenant. (Il faut secouer le contenant énergiquement pendant environ 15 minutes.)
3. Lorsque le beurre est solide, déverse le babeurre qui s'est formé sur le dessus.
4. Place le beurre dans un bol. Rince-le à l'eau froide. Presse-le ensuite contre le bol avec une spatule en bois.
5. Ajoute un peu de sel. Étale le beurre sur des craquelins et savoure !

ACTIVITÉS

1. Qu'est-ce qui remplace le magasin général aujourd'hui ?
2. Écris les étapes que la famille de colons a suivies pour faire du beurre. Commence par la vache.
3. De nos jours, on achète les produits avec de l'argent. Pourquoi le troc a-t-il disparu dans les magasins ?

l n'y avait pas seulement des fermières et des fermiers établis dans le Haut-Canada. Tu as déjà vu qu'il y avait des médecins, des meuniers, des marchandes et des marchands. Il y avait aussi plusieurs autres métiers que les colons pouvaient exercer. À la ferme, on faisait parfois d'autres travaux pour gagner plus d'argent.

LES TRAVAILLEURS FORESTIERS ET LES BÛCHERONS

Lorsque les premiers colons sont arrivés dans le Haut-Canada, le sol était couvert de forêts. La plupart des colons voulaient que leurs terres soient défrichées rapidement. S'ils avaient de l'argent, ils engageaient des **travailleurs forestiers.** Ces travailleurs abattaient les arbres. Ils se débarrassaient des troncs, brûlaient les broussailles et défrichaient le sol. C'était l'un des métiers les mieux payés du Haut-Canada.

À mesure qu'on défrichait davantage de terre, les forêts qui entouraient les fermes ont commencé à disparaître. Les travailleurs forestiers devaient alors se rendre encore plus loin de chez eux pour travailler. On leur promettait de l'argent pour chaque bille apportée à la scierie. Beaucoup de travailleurs forestiers et de jeunes hommes devenaient **bûcherons.**

Tout l'hiver, les bûcherons travaillaient dans les forêts et abattaient des arbres. Ils dormaient dans une grande cabane avec 30 ou 40 autres bûcherons. Au printemps, ils tiraient ou faisaient flotter les billes de bois sur la rivière jusqu'à la scierie. Les bûcherons recevaient alors leur

argent. Puis, ils rentraient chez eux pour les semailles du printemps et la récolte d'automne. Ils repartaient travailler dans la forêt l'hiver suivant.

LES FORGERONS

Le **forgeron** connaissait chacun des bœufs et des chevaux du voisinage. Il fallait **ferrer** soigneusement chacun d'entre eux, c'est-à-dire les munir de fers pour éviter que leurs sabots s'usent.

On prenait le fer avec des **tenailles** et on le mettait sur le feu de la **forge.** La chaleur ramollissait assez le métal pour qu'on lui donne la forme d'un fer à cheval. On retirait le fer du feu. Le forgeron le martelait ensuite sur l'enclume et le plongeait dans une barrique remplie d'eau froide.

Le fer était cloué à la partie dure du sabot de l'animal. Le sabot est fait du même tissu que tes ongles. Ainsi, de la même manière que tu ne ressens aucune douleur lorsque tu te coupes les ongles, l'animal ne ressent aucune douleur lorsqu'on le ferre.

Tout le monde savait que le forgeron fabriquait des fers à cheval. Mais il faisait aussi des outils en fer comme des binettes, des râteaux, des bêches, des faux et des faucilles. Il fabriquait aussi des lisses d'usure pour les traîneaux, des fusils, des clous, des charrues, des couteaux et beaucoup d'autres articles.

LES CARROSSIERS

Les **carrossiers,** ou fabricants de chariots, construisaient la partie supérieure des voitures, des traîneaux, des chariots et des diligences. Ils fabriquaient ces objets avec du bois de feuillus comme le chêne, le frêne et l'orme. Les carrossiers engageaient d'autres ouvriers pour terminer la voiture. Il y avait les charrons, les forgerons, les menuisiers et les peintres.

LES CHARRONS

Les **charrons** fabriquaient les roues pour les voitures, les chariots, les charrettes, les brouettes et les rouets. Le moyeu, les rayons et la jante étaient en bois. Un anneau en métal, appelé un «bandage», était disposé sur la partie extérieure de la roue. Cela la renforçait et l'empêchait de s'user.

Clac! Clac! Clac! C'était le bruit qui annonçait l'arrivée du **colporteur.** *Il transportait les articles à vendre dans ses poches, dans un sac à dos, sous son chapeau... là où il pouvait! Nombre de ces articles étaient en métal. Le colporteur traversait la forêt accompagné d'un bruit de ferraille pour parvenir chez les colons qui vivaient dans les régions éloignées.*

Un tonnelier met la dernière main à un tonneau.

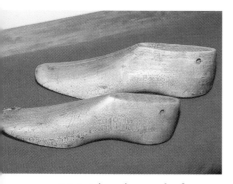

Voici la photo de formes de chaussures qui datent de l'époque des colons. Au second plan, on voit une grande forme. Au premier plan, on voit une forme de taille moyenne.

Un cheval de labour complètement harnaché

LES TONNELIERS

Un **tonneau** est un contenant en bois. Les **tonneliers** fabriquaient des tonneaux et des barils pour les liquides et les produits secs. Ils faisaient aussi des articles ménagers comme des seaux, des barattes et des baquets à lessive. Tout était fabriqué avec des **douelles.**

Les douelles étaient des planches de bois larges au milieu et étroites aux extrémités. On chauffait les douelles pour pouvoir les courber et les ajuster les unes aux autres. On trempait des gaules de frêne et de caryer dans l'eau pour leur donner la forme de cerceaux. Ces cerceaux maintenaient les douelles en place. Les enfants adoraient jouer avec les cerceaux de tonneaux. Ils se servaient des douelles comme skis ou comme traîneaux pour glisser sur les pentes enneigées.

LES BOTTIERS

Le bottier sculptait la forme d'un pied dans un bloc de bois. C'est ce qu'on appelait une **forme.** Le bottier utilisait la forme pour don-ner à une pièce de cuir la forme d'une chaussure ou d'une botte.

Il y avait seulement trois tailles de formes : les petites, les moyennes et les grandes. Parfois, on prenait l'empreinte du pied nu d'un colon sur une pièce de cuir. On faisait ensuite une paire de chaussures ou de bottes sur mesure.

Certains bottiers voyageaient de ville en ville. Ils taillaient les chaussures des enfants trop grandes pour qu'ils puissent les porter plus longtemps. Les enfants devaient mettre des chif-fons à l'extrémité de leurs chaus-sures. Bien sûr, ils préféraient marcher pieds nus en été!

LES FABRICANTS DE HAR-NAIS ET DE SELLES

Les chevaux n'avaient pas seule-ment besoin de fers. Il leur fallait aussi des harnais et des selles. Les fabricants de harnais et de selles étaient des ouvriers du cuir. Ils dessinaient les formes, puis découpaient et cousaient les pièces de cuir ensemble. Le cuir épais et lourd nécessaire pour

L'arche de Noé avec toute une série d'animaux. Un fabricant de meubles a probablement sculpté ces jouets dans des blocs de bois qui restaient après avoir fait un meuble.

les harnais provenait de grands animaux comme les vaches.

LES FABRICANTS DE MEUBLES ET DE JOUETS

Les premiers colons n'étaient pas toujours assez habiles pour faire leurs propres meubles. Ils utilisaient parfois un tronc d'arbre comme tabouret. Une planche posée sur deux troncs devenait une table. Parfois, un colon se rendait compte qu'il avait un talent pour travailler le bois. Alors d'autres colons lui troquaient ses meubles.

Lorsqu'un colon avait vraiment un don pour travailler le bois, il pouvait devenir **ébéniste.** Les ébénistes savaient fabriquer des tiroirs qui s'ouvraient et se fermaient sans problème. Ils pouvaient sculpter de jolis motifs sur le dossier des chaises ou sur les portes des armoires. Ainsi, les meubles n'étaient plus seulement pratiques. Ils étaient beaux.

On ne jetait jamais le bois qui restait. On le sculptait et le ponçait pour en faire des cubes, des pantins et d'autres jouets. Les jouets en bois sont encore populaires aujourd'hui.

APPRENDRE UN MÉTIER

Beaucoup d'artisans prenaient des enfants comme **apprentis** pour leur apprendre leur métier. Les apprentis étaient à la fois des élèves et des ouvriers. Il fallait de quatre à sept ans d'apprentissage pour devenir forgeron ou ébéniste.

Nous avons vu les métiers les plus répandus parmi les colons. Mais il y avait aussi les fileurs, les perruquiers, les chapeliers, les fabricants de bardeaux, les enseignants et les avocats.

ACTIVITÉS

1. Par groupes de quatre ou cinq, préparez une saynète qui montre un colporteur en train de vendre des articles à une famille de colons.

2. D'après toi, d'où vient l'expression suivante : « Il faut battre le fer pendant qu'il est chaud » ?

3. La plupart des magasins étaient construits près de l'eau mais certains se trouvaient près d'une route. Pourquoi certains commerçants préféraient-ils s'établir près d'une route ?

es cris, des coups de marteau, des éclats de rire... La communauté a organisé une corvée pour construire l'école. Le meunier est là avec des billes de bois et des planches. Le propriétaire du magasin général fournit les vitres pour les fenêtres. Quelqu'un d'autre a apporté un poêle à bois.

Emily dépose de la nourriture sur la longue table installée pour le repas. Elle est certaine qu'elle va aimer l'école, même si cela veut dire qu'elle devra faire de longs trajets pour s'y rendre tous les jours. Robert n'en est pas si sûr. Les plus grands lui ont raconté trop d'histoires sur la baguette de bouleau.

Il n'y avait qu'une salle de classe dans les écoles des premiers colons.

LA MAÎTRESSE OU LE MAÎTRE D'ÉCOLE

Les familles engageaient le **maître d'école,** ou l'instituteur. Dans les premiers temps, c'était généralement un homme. Peu d'instituteurs avaient une formation en enseignement.

Les instituteurs *formés* travaillaient dans les villes et les villages les plus grands, où il y avait des écoles privées. Plus tard, beaucoup de femmes ont choisi d'être institutrices. Une institutrice s'appelait une **maîtresse d'école.**

Dans une école avec une seule salle de classe, on enseignait aux enfants de tous les âges et de tous les niveaux en même temps. De nombreux garçons étaient plus grands et plus forts que l'institutrice ou l'instituteur. D'autres enfants lui arrivaient à peine à la taille.

Ne serait-il pas amusant que ton enseignante ou ton enseignant vive chez toi pendant six semaines? C'est ainsi que certaines familles contribuaient au salaire de l'instituteur ou de l'institutrice. D'autres familles les payaient avec un sac de farine ou une charge de bois. Peu de familles payaient comptant.

DANS LA SALLE DE CLASSE
Les bancs d'école étaient faits avec des planches de bois. Ils longeaient deux murs de la salle. Il y avait des pupitres devant chaque place. Évidemment, les élèves s'agitaient!

On installait un grand poêle au centre pour chauffer la salle de classe. Le bureau de l'institutrice ou de l'instituteur était placé au fond de la pièce, face à la porte d'entrée. De là, on pouvait voir *tout* ce qui se passait.

Il n'y avait pas de tableau noir, de cartes, ni de globes terrestres. Il n'y avait pas de manuels scolaires, ni de piles de feuilles prêtes pour la correction sur le bureau de l'instituteur ou de l'institutrice. Sur une console, à l'avant de la classe, se trouvait une baguette de bouleau. Cette baguette servait à faire régner la discipline dans la classe.

Les filles et les garçons plus âgés aimaient jouer des tours à l'institutrice ou à l'instituteur et aux enfants plus jeunes. S'ils se faisaient attraper, ils recevaient souvent plusieurs coups de baguette sur les mains. Parfois, les coups étaient donnés sur d'autres parties du corps.

CE QU'ON APPRENAIT À L'ÉCOLE
L'enseignement se concentrait sur trois sujets principaux: la lecture, l'écriture et l'arithmétique. Chaque élève avait une petite ardoise et écrivait les équations ou les mots de vocabulaire avec un crayon à ardoise. Après chaque leçon, on effaçait les ardoises. Plus tard, les enfants écrivaient sur du papier, avec une **plume** et de l'encre.

Les élèves devaient apprendre leurs tables de multiplication et les règles d'orthographe. Tous les jours, elles ou ils devaient recopier des textes. Elles ou ils apprenaient des vers pour les aider à se souvenir de certaines choses comme: «Trente jours a septembre...»

Les élèves qui réussissaient bien en orthographe aimaient les concours d'orthographe. L'institutrice ou l'instituteur organisait une soirée où adultes et enfants participaient aux concours. Certains élèves ne venaient pas à l'école régulièrement. On avait souvent besoin des élèves âgés à la maison pour aider aux travaux de la ferme. Seuls quelques élèves progressaient à partir de ce qu'on leur enseignait. D'autres devenaient des autodidactes.

La plume provenait de l'aile d'une oie. On en aiguisait l'extrémité avec un couteau pour former une pointe.

ACTIVITÉS
Travaille avec une ou un camarade et partagez le résultat de vos recherches avec une autre équipe.

1. Réfléchissez ensemble aux avantages et aux inconvénients d'avoir des élèves de différents niveaux et de tous les âges dans une même salle de classe.

2. Avec une ou un autre camarade, procédez de la même manière pour réfléchir aux avantages et aux inconvénients d'avoir un seul groupe d'âge et un seul niveau par classe.

épêche-toi, Emily», presse Peter Wilkins du seuil de la porte. «Je vais partir sans toi.»

«Attends-moi, Peter. Tu promets, hein?», crie Emily. Elle porte encore la robe de nuit chiffonnée dans laquelle elle a dormi. Plus tôt, Emily a aidé maman à passer à Judith et à Robert leurs vêtements du dimanche. Ils sont déjà partis avec papa et maman. Emily enfile sa robe grise. Elle est prête à partir.

ALLER À L'ÉGLISE

«J'espère que nous n'avons pas manqué les Robinson sur le chemin de roulage», dit Peter. Nous avons eu de la chance qu'ils nous emmènent à l'église dans leur charrette ces deux derniers dimanches.»

«Qu'est-ce qui est le plus dur, Peter? Le trajet en charrette ou rester assis sur les planches de bois de l'église?»

«Judith a bougé sans arrêt dimanche dernier. Elle disait que c'était à cause des planches», dit Peter en riant.

«M. Robinson a dit qu'il réunirait quelques hommes pour faire de vrais bancs. Avec des dossiers!», lance Emily.

«Ça s'appelle des **bancs d'église**», précise Peter à l'intention de sa sœur.

«Je sais», rétorque Emily. Ils aperçoivent la belle robe bleue de maman et se mettent à courir pour la rejoindre.

AVANT LA CONSTRUCTION DE L'ÉGLISE

Il y a deux ans, il n'y avait pas d'église à laquelle la famille Wilkins pouvait se rendre. Comme d'autres pionnières et pionniers qui vivaient dans les régions éloignées, la famille pratiquait sa religion à la maison. Tous les jours, maman ou papa lisait un passage de la Bible à haute voix pour la famille. Peter et Emily répétaient les **Écritures** ou les versets qu'ils avaient appris par cœur. Ce n'était pas difficile pour eux. Ils avaient appris à lire dans la Bible.

Emily était contente lorsque le prédicateur ambulant leur rendait visite. Il chevauchait à travers bois pour apporter la parole de la Bible aux familles qui n'avaient pas accès à une église. Il essayait de rendre visite à chaque famille de la région. Lorsqu'il avait rendu visite une fois à toutes les familles, il recommençait son circuit. C'est de là que vient son nom de **prédicateur ambulant.** Parfois, il disait le service religieux dans une clairière, dans les bois.

UN LIEU DE RENCONTRE

«J'espère qu'Eleanor est à l'église aujourd'hui», dit Emily.

«Et après le service religieux, vous allez passer l'après-midi à chuchoter entre vous?», demande Peter.

«Peut-être, réplique Emily. Mais je te parie que Sara et toi prendrez rendez-vous pour aller vous promener ensemble de nouveau.»

«Emily, je devrai bientôt prendre femme. Et Sara est la seule à avoir conquis mon cœur.»

Le pasteur Angus Newman dit le service religieux. Il a lu des passages de la Bible et a fait chanter les **hymnes.**

Après le service religieux, Eleanor et Emily bavardent du souper de l'église prévu pour la semaine prochaine. Papa discute avec un groupe d'hommes près des chevaux et des charrettes.

Maman est avec un groupe de dames. Elle a entendu dire que Mme Ellison était malade. Maman dit qu'elle va lui rendre visite et emmener des plats à la famille. Mme Robinson lit une lettre de sa famille, qui vient d'Angleterre.

Emily voit Peter et Sara assis sous un arbre. On dirait qu'ils se tiennent la main.

Judith et Robert regardent les autres enfants. Ils ont le droit de jouer avec un seul jouet le dimanche: l'arche de Noé. Papa l'a sculptée et a fait de petits animaux en bois.

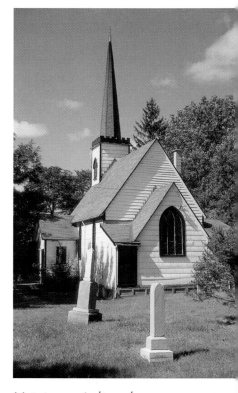

Voici une église de colons. Elle a été construite dans le Haut-Canada en 1848.

ACTIVITÉS

1. Pourquoi, d'après toi, les colons mettaient-ils leurs plus beaux vêtements le dimanche?

2. Formez des groupes et réfléchissez à la manière dont les jeunes peuvent aider ceux qui sont dans le besoin aujourd'hui. Faites des suggestions pour un projet de classe en vue d'aider les personnes dans le besoin.

mily glisse la main dans son tablier et en retire son journal intime. Elle l'a mis là en espérant avoir l'occasion d'y noter ses activités les plus récentes. Grand-maman lui a donné ce journal avant qu'elle ne quitte l'Angleterre. Emily a promis d'y écrire souvent.

Emily tourne les pages jusqu'à ce qu'elle arrive à ses dernières notes.

La sève coule lorsqu'il a gelé pendant la nuit et que la journée suivante est douce et ensoleillée. Le gel suivi du dégel fait couler la sève. Cela peut arriver du début mars à la mi-avril. Après, les jours deviennent plus chauds et les arbres commencent à bourgeonner. À ce moment-là, la sève a un goût amer.

Le 13 mars
La neige a beaucoup fondu sous le chaud soleil qu'il a fait aujourd'hui. Robert et moi avons essayé

	Température (en degrés Celsius)	
Date	**Jour**	**Nuit**
10 mars	−1°	−6°
11 mars	−4°	−8°
12 mars	0°	−2°
13 mars	+2°	−2°
14 mars	+2°	−3°
15 mars	+3°	−2°
16 mars	+3°	−3°

D'après toi, quels jours la sève va-t-elle couler?

de rester sur la croûte de la neige sans la défoncer. Nous avons ri et nous nous sommes amusés. Puis nous étions fatigués. Il nous fallait transporter du petit bois à l'érablière pour commencer le feu. J'ai du mal à croire qu'il nous faut *fabriquer* du sucre. En Angleterre, il fallait tout simplement aller au magasin pour en acheter.

Le 14 mars
Lorsque je suis arrivée à l'érablière ce matin, papa et Peter avaient déjà fait des trous dans le tronc des arbres. Il y avait une longue lame de bois appelée une **goudrille** insérée dans chacun des trous. Papa a fabriqué les goudrilles cet hiver.

Une gourmandise appréciée

Il nous a montré à Robert et à moi certains arbres dont la sève s'écoulait par la goudrille dans un seau. Je ne comprends pas comment cette sève liquide peut donner du sucre! Mais c'est le cas. Cet hiver, un homme et une femme ojibway nous ont échangé du sucre de leur fabrication contre un peu de porc salé. Nous étions contents de l'échange, car nous n'avions plus de sucre. Papa a dit que ce sont les peuples autochtones qui ont appris aux colons à faire le sirop et le sucre d'érable.

Le 15 mars

Robert et moi avons transporté des seaux en bois remplis de sève jusqu'aux chaudrons placés au-dessus des feux. Les seaux étaient tellement lourds. Il a fallu que nous tenions *un seul* seau à deux pour y parvenir. À chaque pas, le seau cognait la jambe de Robert ou la mienne. La sève éclaboussait alors nos vêtements. Papa portait une palanche. Il transportait deux seaux pleins d'un seul coup. Il a dit que l'année prochaine, nous aurions un bœuf et un traîneau pour porter les seaux jusqu'au feu. Imagine combien de sucre nous pourrons alors faire!

Le 16 mars

Peter et papa passent la nuit dans les bois pour alimenter les feux. Ainsi la sève pourra continuer à bouillir. Peter a fabriqué un abri de fortune pour que lui et papa se relaient pour dormir.

Mes pieds et mes mains sont gelés parce que j'ai travaillé dehors toute la journée.

Le 17 mars

C'était le meilleur jour. Assez d'eau s'est évaporée de la sève dans un des chaudrons pour former un sirop d'érable épais et sucré. Maman en a versé dans des moules en bois. Il va durcir et faire des pains de sucre. On a versé une partie de la sève dans un chaudron plus petit. Puis on a fait bouillir la sève jusqu'à ce qu'elle se cristallise. Nous avions alors du sucre!

Maman a versé le reste de la sève sur la neige. Nous nous sommes tous rapprochés pendant qu'elle refroidissait. Maman a fait semblant de ne pas nous voir. Ensuite, elle a crié: «La tire est sur la neige!» Robert et moi avons étiré ensemble la tire pour voir à quel moment elle se briserait. Maman et Peter se sont joints à nous. Papa a cassé un morceau pour Judith. C'était si amusant! Bien sûr, c'était encore mieux quand nous avons mangé la tire.

Emily a terminé sa lecture. Elle tourne une nouvelle page de son journal et commence à écrire.

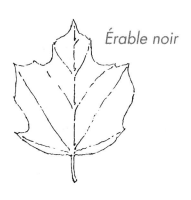
Érable noir

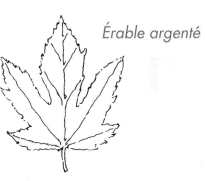
Érable rouge

Érable argenté

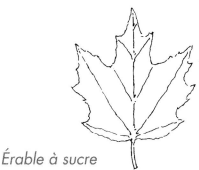
Érable à sucre

> ### LE SAVAIS-TU?
>
> La première sève donnait le meilleur sucre. La dernière servait à faire de la mélasse.

ACTIVITÉS

1. Pourquoi le sucre d'érable était-il si important pour les premiers colons?

2. La feuille d'érable est le symbole du Canada depuis 1805. Où voyons-nous ce symbole aujourd'hui?

Les arbres qui produisent la meilleure sève sont les érables noirs, rouges, argentés et à sucre. L'érable à sucre produit la sève la plus délicieuse.

21

Maman, dit Emily. Je ne peux pas aller au lit maintenant. Je veux écrire à grand-maman et à grand-papa tout de suite. S'il te plaît?»

«D'accord Emily», répond maman.

Le 23 février 1840

Chère grand-maman et cher grand-papa,

J'ai été content de trouver votre lettre au bureau de poste du magasin général. Nous sommes en train de tout préparer pour faire du sirop d'érable. Il était temps. Nous n'avons plus rien de sucré à nous mettre sous la dent. L'hiver a été très froid. Notre petite Judith a eu plusieur rhumes. Maman dit de ne pas vous inquiéter. Papa veut acheter un bœuf l'année prochaine. Il veut aussi construire une charrette. Vous serez étonnés de voir comme Peter a grandi. Bientôt il sera aussi grand que papa. Robert grandit aussi mais je le dépasse encore d'une tête. J'espérais que votre lettre nous annoncerait votre visite au Canada. Si vous vous plaisiez ici, vous pourriez peut-être vivre avec nous.

Lettre d'Emily où elle écrit par-dessus la première partie. Parviens-tu à la lire?

On a utilisé les premiers timbres postaux au Canada en 1851.

Emily se rapproche de la cheminée pour avoir plus de lumière. Elle met l'encre près du feu. Elle espère qu'elle dégèlera rapidement. Il faut qu'elle se souvienne de ne plus laisser l'encrier près de la fenêtre pendant la saison froide. Elle aiguise la pointe de sa plume d'oie avec un canif.

Enfin, la voilà prête.

«Chers grand-papa et grand-maman», commence-t-elle.

Il ne lui faut pas longtemps pour remplir la page. Ensuite, elle tourne la feuille sur le côté et continue à écrire par-dessus la première partie. Grand-maman et grand-papa auront du mal à lire sa lettre, mais c'est moins cher d'envoyer une seule page. Ce n'est pas à Emily de payer pour cette lettre. Au XIXe siècle, c'est la personne qui *recevait* le courrier qui payait.

«J'ai fini, maman, chuchote Emily. S'il te plaît, montre-moi encore comment plier la feuille.»

Maman transforme la feuille en enveloppe. On mettra l'adresse de grand-maman et de grand-papa sur le côté vierge de la feuille.

Emily apporte la bougie et fait couler de la cire sur la partie de la feuille qui est repliée. En séchant, la cire scelle l'enveloppe. Emily a tordu une petite pièce de fil de fer de façon à lui donner une forme. Elle l'applique sur la cire juste avant qu'elle ne soit complètement sèche. La lettre est maintenant fermée avec son sceau personnel.

«Bonne nuit! lance Emily. Je vais mettre cette lettre de côté pour dimanche. Je pourrai la donner à M. Floyd, le marchand, après la messe.»

L'AGENT DES POSTES

M. Floyd est aussi l'agent des postes. À l'arrière du magasin général, il a des rangées de tiroirs. Il y a un tiroir pour chaque famille de la communauté. Lorsque les colons qui vivent dans les régions éloignées peuvent se permettre de passer une journée loin de leur ferme, ils se rendent au bureau de poste le plus proche. Parfois, le courrier est distribué à l'église ou pendant une corvée.

Le marchand est également l'agent des postes.

Il n'y avait pas de timbres. Le coût de l'affranchissement dépendait du nombre de pages de la lettre.

LA LIVRAISON DU COURRIER

Le courrier en provenance d'outre-mer arrivait au port le plus proche, par un navire à voiles. Le voyage durait de 6 à 10 semaines. Les sacs de courrier étaient jetés par-dessus bord, sur le quai. Un conducteur de chariot les ramassait et les chargeait dans son chariot. Puis les chevaux se rendaient au bureau de poste. Le maître des postes triait le courrier. Il gardait les lettres adressées à son bureau et ajoutait le courrier qui devait partir. Le conducteur ramenait les sacs au bateau. De là, les sacs étaient transportés jusqu'au port suivant.

Des diligences transportaient le courrier à l'intérieur des terres sur des routes rudimentaires, de bureau de poste en bureau de poste. Lorsqu'il approchait d'un bureau de poste, le conducteur soufflait dans sa corne pour prévenir le maître des postes de sa venue. Arrivé à la porte, il lançait le sac par terre. Le maître des postes triait le courrier. Il rendait ensuite le sac au conducteur pour qu'il l'emporte au bureau de poste suivant.

Parfois, des cavaliers portaient le courrier aux communautés les plus éloignées. Comme ces bureaux étaient éloignés les uns des autres, les pionnières et les pionniers devaient souvent parcourir de grandes distances pour aller chercher leur courrier. Plus tard, avec l'apparition du chemin de fer et la construction de meilleures routes, la livraison du courrier est devenue plus rapide et moins coûteuse.

Le courrier en provenance d'outre-mer était livré à un port.

Le courrier était acheminé aux bureaux de poste, à l'intérieur des terres, par diligence.

Les colons devaient souvent parcourir de grandes distances pour aller chercher leur courrier.

ACTIVITÉS

1. Qui va payer l'affranchissement de la lettre d'Emily?

2. Si on recevait une lettre dont le sceau était brisé, qu'est-ce que cela pouvait signifier?

3. Peux-tu suggérer une façon qui aurait permis de gagner du temps pour livrer le courrier une fois que le navire atteignait le port?

4. Travaille avec une ou un camarade. Écrivez-vous à chacun une lettre dans les deux sens, comme celle d'Emily. Écrivez avec soin de manière que votre camarade puisse la lire.

aman passe beaucoup de temps à faire du fil. Elle tisse ce fil pour fabriquer des tissus et confectionner des vêtements pour la famille. Pour cela, il lui faut filer de la laine. Avant de commencer à filer, cependant, elle doit avoir de la laine.

*L'un des rôles de papa est de **tondre** les moutons, c'est-à-dire les raser. Habituellement, on tond les moutons une fois par an. Le plus souvent, cela se pratique à la mi-juin. Car pendant les mois d'été, les moutons n'ont pas besoin de leur épaisse toison !*

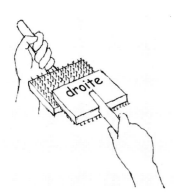

On utilisait des cardes comme celle-ci pour démêler la laine.

LE TRI ET LE LAVAGE
Emily trie la **toison.** Elle jette les pièces feutrées et les chardons. Ensuite, maman fait tremper la toison dans de l'eau tiède. (Une eau trop chaude ferait feutrer la laine et la rendrait difficile à utiliser.) Maman et Emily lavent la toison avec du savon fait à la maison. Ensuite, elles la rincent plusieurs fois. Elles pressent doucement la laine pour en extraire l'eau. Elles étendent ensuite la toison pour la laisser sécher.

LE CARDAGE
Les **cardes** ressemblent à des palettes munies de fils de fer recourbés. On a inscrit dessus «gauche» et «droite». Emily place un peu de laine sur la carde inférieure marquée «gauche».

Ensuite, elle exerce une légère pression avec l'autre carde («droite») en la tirant vers elle. Elle recommence plusieurs fois jusqu'à ce que la laine forme une boule cotonneuse et douce.

On appelle cette boule de laine un **boudin**. Maintenant la laine n'est plus emmêlée. Elle est prête à être filée.

LE FILAGE
Maman a dit à Emily qu'il y avait trois étapes principales dans le filage :

1. Étirer les fibres ;
2. Les tordre ;
3. Les enrouler.

On utilise cette méthode depuis bien longtemps ; on se servait alors uniquement des doigts pour filer.

Les plantes fournissaient toutes les teintures aux couleurs vives dont les colons avaient besoin. On voit ici de la laine teinte avec des plantes en train de sécher.

LE ROUET

Le fuseau est relié à une grande roue appelée une **roue à pas.** Maman place une bobine sur le fuseau. Lorsqu'on tourne la roue, tout se met en branle. Maman recule de trois pas pour tirer la laine. Elle avance de trois pas pour enrouler la laine autour de la bobine. Elle répète cette opération de nombreuses fois. Maman va ainsi rendre la laine plus solide.

LA TEINTURE

Maman et Emily ramassent des feuilles, des fleurs et des racines pour teindre la laine ou le tissu. Elles peuvent obtenir un bain de teinture de presque n'importe quelle couleur. Le rouge provient des racines de garance. On obtient le vert avec les feuilles de muguet. Les pelures d'oignon donnent le jaune. On utilise les bruns et les noirs des glands écrasés ou des feuilles de thé pour teindre les vêtements de travail.

Filer avec les doigts

1. Tiens une boule d'ouate dans ta main gauche.
2. Attrape un peu d'ouate entre ton pouce et ton index droits.
3. Tire quelques fibres de 4 ou 5 cm.
4. Roule ou tords l'ouate.
5. Continue à la tordre en tirant doucement les fibres. Un fil lisse se formera.

ACTIVITÉS

1. Pourquoi est-il préférable de tondre les moutons en juin?

2. Pourquoi était-il important de retirer la laine feutrée et les chardons de la toison?

es jeunes gens et les enfants du temps des premiers colons étaient tout comme toi. Ils avaient envie de s'amuser. Les premières années, il n'était pas facile de cesser de travailler et de prendre du temps pour s'amuser. Lorsque cela arrivait, on aimait faire autant de choses divertissantes que possible !

En hiver, Peter et Sara patinaient sur le réservoir gelé du moulin.

LE DIVERTISSEMENT EN HIVER

L'hiver était l'occasion de se divertir. On organisait des rencontres de patinage. On attachait à ses bottes des patins de bois à lame de fer. Les jeunes gens aimaient se tenir par le bras et patiner ensemble. Beaucoup d'entre eux aimaient montrer leurs talents de patineuses ou de patineurs. On faisait du thé au-dessus d'un feu pour ceux qui étaient frileux.

On faisait de la traîne sauvage et du traîneau sur des étangs gelés et le long des collines enneigées. Il y avait différentes tailles de traînes sauvages. Certaines pouvaient porter plus de 12 personnes. La nuit, la piste était éclairée avec des torches. Tomber était aussi amusant que glisser !

Les **carrioles** étaient des voitures découvertes, montées sur patins et tirées par des chevaux. La plupart étaient de fabrication artisanale et avaient des patins en bois. Ces voitures étaient basses. Certaines avaient des patins de fer et étaient plus hautes. Les gens qui y montaient devaient s'emmitoufler dans des fourrures pour rester bien au chaud. Ils rendaient visite à des amies et amis qui vivaient si loin qu'on ne pouvait pas y aller en été. Ces balades en traîneau se transformaient souvent en courses sur la glace et la neige.

Les courses de chars à glace, le hockey et le curling étaient des sports d'hiver très appréciés par les jeunes colons.

NOËL

Pour les colons, Noël était un moment privilégié qu'on passait avec la famille et les amies et amis. La coutume de décorer la maison et d'offrir des cadeaux n'était pas encore intégrée à la célébration de Noël. On servait un souper de fête accompagné de friandises. Le jour de Noël, on jouait à des jeux et on racontait des histoires auprès du feu.

Plus tard, les colons d'origine allemande ont introduit la coutume de l'arbre et des décorations. On a alors commencé à offrir des services à thé, des poupées, des trains en bois et des chevaux à bascule. Et le pouding de Noël a fait son apparition.

LES MARIAGES

On évitait les mariages au mois de juin, contrairement à aujourd'hui. Les colons étaient bien trop occupés au travail de la ferme.

Les mariages avaient généralement lieu à Noël. Les invités arrivaient à la maison de la mariée dans des carrioles et des charrettes. Ils formaient une longue queue. La mariée et le marié prenaient la tête de la procession pour se rendre à l'église. Les clochettes des harnais tintaient quand les chevaux trottaient.

Après la célébration religieuse, tout le monde retournait à la maison de la mariée. On y servait un souper et un gâteau de mariage. Ensuite, on chantait, on jouait à des jeux, on faisait de la musique et on dansait jusqu'à tard dans la nuit. Parfois, la fête durait jusqu'au petit matin.

LA DANSE

Il y avait souvent un joueur de violon ou de cornemuse qui jouait pour faire danser les gens. On dansait la danse carrée, le reel et la gigue sur des airs populaires.

LE CIRQUE

Le cirque était l'un des premiers événements ambulants pour les premiers colons. Il ne s'agissait pas vraiment d'un spectacle. On montrait des animaux sauvages. Les colons s'exclamaient joyeusement en voyant arriver les chariots avec leurs grandes cages. Certains allaient jusqu'à payer pour regarder de plus près.

Un violon à faire toi-même

Il te faut : un marteau, un clou, une canette vide (1,36 L) dont tu auras retiré une extrémité, une ficelle solide et un crayon ou un bâtonnet.

1. Avec un clou, fais un trou dans le fond de la canette, au milieu.
2. Coupe un morceau de ficelle qui va de ton pied à ta taille.
3. Fais un gros nœud à une extrémité de la ficelle. Fais passer l'extrémité sans nœud par le trou à l'intérieur de la canette.
4. Attache l'extrémité sans nœud de la ficelle au crayon.
5. Mets un pied sur le dessus de la canette. Recourbe tes doigts sous le crayon. Resserre et relâche la ficelle en la pinçant.

ACTIVITÉS

1. Formez des groupes. Dessinez un diagramme de Venn. Dressez une liste des façons dont vous vous amusez dans le cercle de gauche. Dressez une liste des façons dont les enfants des premiers colons s'amusaient dans le cercle de droite. Placez les activités communes dans le centre. Montrez le diagramme à la classe.

2. Imagine que tu n'as plus d'électricité pendant une semaine. Quel est le divertissement que cela t'empêcherait de pratiquer?

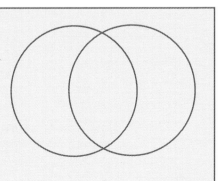

endant des milliers d'années, les peuples autochtones étaient les seuls à vivre sur le sol que nous appelons aujourd'hui le Canada. Ils prenaient soin de la nature environnante. Ils savaient que c'était la richesse de cette terre et de ces eaux qui leur permettrait de survivre. Ils croyaient fermement qu'il ne fallait prendre que ce dont on avait besoin.

Ce sont ces richesses naturelles qui ont attiré les explorateurs et les commerçants de fourrure européens au Canada. Ils voulaient des fourrures, du poisson et des minéraux. Ils avaient l'intention de vendre ces **ressources naturelles** aux autres Européens.

Arrivée des « filles du roi » dans la ville de Québec

LES COLONS DE LA NOUVELLE-FRANCE (QUÉBEC)

Beaucoup d'explorateurs français sont venus au Canada au XVIIe siècle. Ils étaient attirés par cette terre, car elle était très riche en fourrures. La traite des fourrures avec les peuples autochtones était devenue une source de grande richesse pour la France.

Les Français ont construit des postes de traite à Montréal, à Québec et à Trois-Rivières. Les hivers longs et froids ont voué les premières colonies à l'échec. De plus, les guerres contre les peuples autochtones ont empêché les nouvelles colonies de prospérer. Peu de colons pouvaient quitter la protection des postes militaires.

Le roi de France

Le roi de France savait à quel point la Nouvelle-France était importante. Il s'en est donc occupé personnellement. Il a fait la paix avec les peuples autochtones. Il a promis aux paysans de France de nouvelles terres s'ils allaient s'établir dans la colonie. Or, il n'y avait pas assez de femmes en Nouvelle-France. La solution était simple : le roi a envoyé autant de jeunes femmes qu'il était nécessaire.

Les jeunes hommes des colonies qui longeaient le fleuve Saint-Laurent venaient saluer les « filles du roi » à mesure qu'elles arrivaient. Les mariages étaient célébrés. Les jeunes hommes retournaient ensuite dans leur ferme avec leur nouvelle épouse.

Les maisons en Nouvelle-France

Comme dans le Haut-Canada, les premiers colons, appelés **habitantes** et **habitants**, ont utilisé du bois rond pour construire leur maison. Il y avait beaucoup de pierres calcaires le long du fleuve Saint-Laurent. Avec le temps, les maisons en pierre calcaire ont remplacé les maisons en bois rond. Ces nouvelles maisons étaient très solides. On faisait des toits à la pente raide pour permettre à la neige de glisser. On trouve encore beaucoup de ces maisons aujourd'hui.

L'habillement

Les hivers étaient très froids en Nouvelle-France. Les habitantes et les habitants ont rapidement appris que les vêtements qu'ils portaient en France ne les tiendraient pas au chaud ici. La laine était assez chaude, mais il y avait peu de moutons dans la colonie. Les colons ont alors trouvé une solution. Ils se sont

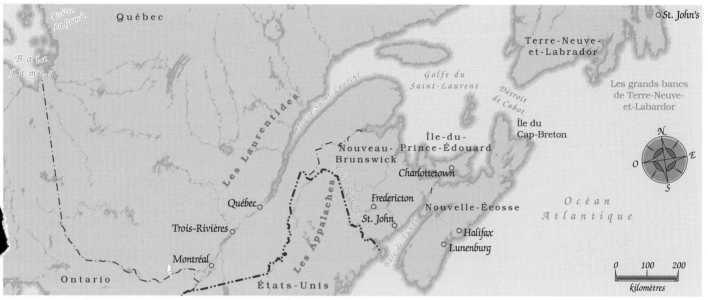

fait des vêtements en cuir de cerf et d'orignal.

Les hommes portaient des vêtements et des chaussures en peau de daim. Les femmes portaient des vêtements d'un tissu fait à la maison et doublé de cuir pour les protéger du froid.

LES PROVINCES ATLANTIQUES

La plupart des premiers colons de Nouvelle-Écosse venaient de France ou d'Angleterre. Les guerres qui ont opposé les deux pays dans les années 1700 ont eu un effet sur la Nouvelle-Écosse. L'Angleterre dominait la Nouvelle-Écosse. Elle exigeait que les colons francophones, les **Acadiennes** et les **Acadiens,** prêtent serment de fidélité à la couronne britannique. Mais ils ont refusé. L'Angleterre les a donc envoyés vivre dans d'autres colonies.

Avec le temps, la France et l'Angleterre ont fait la paix. Beaucoup d'Acadiennes et d'Acadiens sont alors revenus. De nouveaux colons sont également arrivés d'Allemagne, d'Irlande et d'Écosse. Des milliers de loyalistes de l'Empire-Uni sont aussi venus s'établir en Nouvelle-Écosse après la guerre d'indépendance américaine.

Le bois d'œuvre

Depuis le début, les provinces atlantiques étaient réputées pour la construction navale. On utilisait le bois d'œuvre de qualité de la région de la rivière Saint-Jean pour construire d'excellentes goélettes. Lunenburg, en Nouvelle-Écosse, était connue pour construire les meilleurs bateaux du monde comme le *Bluenose.*

Les grands bancs

Au large de Terre-Neuve-et-Labrador, il existe dans l'océan un plateau qui s'étend sur de nombreux kilomètres. On l'appelle les «grands bancs». Depuis l'époque des premiers explorateurs, c'est l'une des meilleures régions de pêche du monde. Beaucoup des premiers colons travaillaient dans l'industrie de la pêche.

L'Ontario, le Québec, la Nouvelle-Écosse et le Nouveau-Brunswick ont été les premiers membres de la Confédération canadienne (1867). L'Île-du-Prince-Édouard s'est jointe à eux en 1873. Terre-Neuve a adhéré à la Confédération en 1949.

ACTIVITÉS

1. Pourquoi les gens du Québec et de certaines régions des provinces atlantiques parlent-ils français de nos jours?

2. Tu as sans doute vu des photos de la goélette *Bluenose* plusieurs fois. Où donc?

omme c'était le cas dans l'Est, des peuples autochtones habitaient les Prairies canadiennes depuis longtemps. Avec le temps, beaucoup de gens venant d'Europe se sont également installés dans cette région. Ils ont commencé à faire le commerce des fourrures avec les groupes autochtones.

LES MÉTIS

Beaucoup de négociants en fourrures sont arrivés et certains d'entre eux se sont mariés avec des femmes autochtones. On appelait leurs enfants des **Métis.** Pendant de nombreuses années, ces trois groupes, soit les autochtones, les Métis et les Européennes et les Européens, ont vécu de la chasse, du piégeage et de leurs fermes dans les Prairies.

Pendant ce temps, la misère et la famine ravageaient l'Europe. Pour beaucoup, les colonies des Prairies représentaient donc la promesse d'une vie meilleure.

La charrette de la rivière Rouge était entièrement faite en bois. Pour traverser un cours d'eau, les Métis démontaient entièrement la charrette, y compris les roues, et faisaient flotter les pièces.

Le baron Selkirk

La première colonie des Prairies s'est établie sur la plaine basse et plate où les rivières Rouge et Assiniboine se rencontrent. C'est l'emplacement de l'actuelle ville de Winnipeg. Le baron Selkirk a acheté aux Cris une grande étendue de terres le long de ces deux rivières. Ce territoire s'étendait de chaque côté de la rivière, «aussi loin qu'on pouvait voir sous le ventre d'un cheval par une journée dégagée».

Le baron Selkirk a divisé ses terres en lots longs et étroits le long des rivières. Il a alors donné ces lots aux colons. Beaucoup d'entre eux avaient fui la misère qui régnait dans les montagnes d'Écosse.

La vie n'était pas facile

Les colons devaient faire face à beaucoup de problèmes. Ils n'étaient pas préparés pour les hivers longs et froids. Les gels précoces écourtaient la saison de croissance. Il était donc difficile d'obtenir une bonne récolte. Il a fallu que les colons fassent de nombreux essais avec des grains différents avant d'obtenir de bonnes récoltes.

Les négociants en fourrures n'étaient pas contents de voir arriver les colons. Ils construisaient des maisons et établissaient des fermes sur des terres qui étaient de bons territoires de piégeage. Cela a

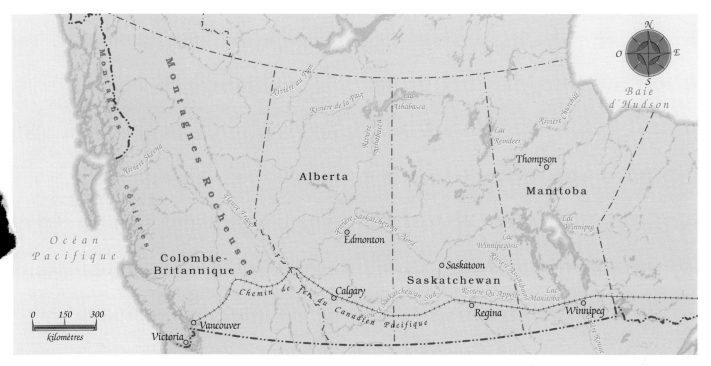

Les provinces des Prairies et la Colombie-Britannique

mis les négociants en fourrures en colère. Ils détruisaient parfois les maisons et les récoltes des colons.

Malgré toutes ces difficultés, avec le temps, les colons ont réussi. On a compris que les Prairies fertiles étaient un bon endroit pour entreprendre une nouvelle vie. En quelques années, des colons en provenance du monde entier sont venus s'installer dans les Prairies canadiennes.

Voyager

Les rivières des Prairies étaient un excellent moyen de transport pour les négociants en fourrures. Cependant, le territoire était si grand qu'on ne pouvait atteindre toutes les régions par voie d'eau. De nombreux sentiers sillonnaient aussi les Prairies. Les négociants en fourrures et les Métis se servaient des sentiers pour transporter les fournitures, dont la viande de bison provenant de la chasse.

Les négociants en fourrures se rendaient souvent compte qu'ils avaient plus de fourrures qu'ils ne pouvaient en transporter. Bientôt, les célèbres charrettes de la rivière Rouge se sont mises à circuler sur les pistes poussiéreuses avec leur chargement de fourrures.

La chasse au bison

Pendant des siècles, les peuples autochtones ont chassé le bison. Sa chair servait de nourriture. Sa peau fournissait des vêtements et on l'utilisait pour recouvrir les demeures. La viande de bison était découpée en fines lanières et mise à sécher au soleil. On la mélangeait ensuite à du gras et on la plaçait dans des sacs en peau de bison. Le mélange s'appelait pemmican. Il se conservait sans se gâter pendant très longtemps.

Comme il y a eu de plus en plus de trappeurs et de colons dans les Prairies, il a fallu plus de pemmican. Chaque année, on organisait de grandes chasses au bison. On abattait des centaines de bisons au cours de chacune de ces chasses. Les chasseurs de bisons ramenaient la viande et les peaux aux colonies à bord de charrettes de la rivière Rouge. Ils laissaient les os blanchir au soleil en énormes tas.

Les maisons

Les premiers colons des Prairies ont construit leurs maisons en bois rond, comme les colons des autres régions du Canada. Toutefois, il n'y avait pas dans les Prairies les forêts de feuillus qu'on trouvait dans l'Est canadien. Il y avait peu d'arbres et, à mesure que les colons sont venus s'installer dans l'Ouest, les arbres sont devenus de plus en plus rares. Les colons qui sont arrivés par la suite ont commencé à construire leurs maisons avec du **torchis.**

Un chemin de fer jusqu'à la côte ouest

Le gouvernement voulait des colonies dans les Prairies. Il avait peur que les États-Unis s'avancent progressivement vers le nord et prennent le contrôle des Prairies et de la Colombie-Britannique actuelle. Le gouvernement a promis de construire un chemin de fer. Il traverserait les Prairies et les Rocheuses, et irait jusqu'à la côte ouest. La perspective de la création d'un chemin de fer a attiré beaucoup de nouveaux colons.

Les lots de colonisation

Toute personne âgée de plus de 21 ans pouvait recevoir une parcelle de terrain non encore réclamée. Ainsi, les familles étudiaient les cartes et choisissaient une parcelle de terrain. Elles entreprenaient alors le long voyage pour trouver leur concession.

Ils sont venus par milliers

Les mennonites et les doukhobors venaient de Russie. D'autres colons venaient d'Allemagne, d'Ukraine, de Norvège, de Suède, de Grande-Bretagne et des États-Unis. Chaque groupe avait sa propre culture et ses traditions. Aujourd'hui, les noms des villes des Prairies reflètent la diversité des origines des colons.

La Nouvelle-Calédonie (Colombie-Britannique)

Les Rocheuses s'étendent de l'extrémité ouest des Prairies jusqu'au littoral du Pacifique. Ce sont de hautes montagnes rocheuses, séparées par des vallées et sillonnées de rivières au cours rapide.

Comme pour d'autres régions du Canada, les peuples autochtones étaient les premiers habitants de la Colombie-Britannique. Ils vivaient, pour la majorité, dans les régions côtières et sur les îles où la nourriture était abondante. Ils attrapaient du saumon et chassaient le cerf, l'ours et la loutre marine. Ils utilisaient la peau de ces animaux pour s'habiller et recouvrir leurs habitations.

Les premiers explorateurs de la Colombie-Britannique ne sont pas passés par les Prairies. Ils ont traversé l'océan Pacifique sur des voiliers en provenance de Russie, d'Espagne et d'Angleterre. Les explorateurs faisaient le commerce des fourrures avec les peuples autochtones. Bientôt, les négociants en fourrures sont arrivés de nombreux pays. Certains ont installé des postes de traite permanents le long du littoral. Ces postes se sont développés et sont devenus des villages et des villes.

La fièvre de l'or

La découverte de la présence d'or le long de la rivière Fraser a changé la colonie pour toujours. Des milliers de mineurs se sont précipités vers l'intérieur des terres pour chercher de l'or. Beaucoup de gens qui venaient de la Californie étaient originaires de la Chine. C'était le début de l'immigration chinoise en Colombie-Britannique.

Pendant la période de la ruée vers l'or, la population du port de Victoria est passée de 300 à 5000 personnes en quelques semaines seulement. Plus tard, on a découvert de l'or dans la chaîne Cariboo. Cette découverte a provoqué l'arrivée d'une nouvelle vague de chercheurs d'or.

Peu de mineurs s'enrichissaient. Beaucoup retournaient chez eux les mains vides. Mais les ruées ont changé la Colombie-Britannique pour toujours. Les mineurs avaient tracé de nouvelles routes dans la nature. Ils avaient construit de nouvelles villes partout où l'on avait découvert de l'or.

Que faire ?

Après la ruée vers l'or, les colonies de l'Île de Vancouver et de la Nouvelle-Calédonie ont décidé de fusionner. Elles sont devenues la « Colombie-Britannique ». Cette colonie devait alors décider si elle allait rester une colonie britannique, se joindre aux États-Unis ou devenir une province de ce nouveau pays, le Canada. La population a décidé de procéder à un vote. Mais les peuples autochtones, les immigrants chinois et les colons noirs n'étaient pas autorisés à voter.

La Colombie-Britannique a voté en faveur du Canada. Il y avait cependant une condition. Le Canada devait construire un chemin de fer qui traverserait les Rocheuses. Ainsi, la Colombie-Britannique serait reliée au reste du pays. Le chemin de fer du Canadien Pacifique a été achevé en 1885. La Colombie-Britannique s'est jointe au reste du Canada en 1871.

Parfois, les prospectrices et les prospecteurs ramassaient du gravier au fond d'une crique et le lavaient à la batée pour trouver de l'or. Les pépites d'or étaient plus lourdes que le gravier. Lorsqu'on déversait l'eau et le gravier, l'or restait au fond de la batée.

ACTIVITÉS

1. La population de bisons est aujourd'hui extrêmement réduite. Donnes-en deux raisons.

2. Les colons devaient souvent choisir leur propriété sur une carte. Quels facteurs étudiaient-ils avant d'arrêter leur choix ?

3. Fais une recherche pour découvrir comment les chercheurs d'or lavaient la terre ou le gravier à la batée pour trouver le précieux minerai. Partage le résultat de tes recherches avec le reste de ta classe.

Pourquoi nous arrêtons-nous sur la colline, maman?», demande le petit Joseph. Emily tient son nouveau bébé dans ses bras. Elle le change de côté!

«D'ici, Joseph, on peut voir *toute* la ferme de grand-maman et grand-papa, répond Emily. J'ai vécu ici à partir de l'âge de neuf ans.»

La cabane

Emily montre la cabane du doigt. «C'était ma première maison au Canada. Ton grand-papa et ton oncle Peter ont abattu beaucoup d'arbres pour faire de la place. Il y avait des souches qui restaient tout autour de la cabane. Nous avons fait notre premier jardin parmi elles. Voici le cours d'eau. Nous transportions notre eau pour boire, nettoyer et nous laver dans des seaux en bois.»

La maison de bois rond

«Tu vois les billes de bois utilisées pour la clôture, Joseph? Elles viennent de tous les arbres abattus sur ce sol. La clôture empêchait les animaux d'aller dans le jardin et de manger les légumes», explique Emily. Elle ferme les yeux. Elle se rappelle lorsque sa famille a déménagé de la cabane à la nouvelle maison de bois rond. La maison semblait énorme. Elle avait deux pièces et un **grenier,** c'est-à-dire une plate-forme sous le toit. C'est là qu'Emily dormait avec ses frères et sa sœur. Le foyer de pierre donnait une bonne chaleur par les nuits froides. Il y avait seulement deux pommiers dans le jardin à l'époque.

La maison à charpente de bois

« J'aime bien la maison de grand-papa et grand-maman vue d'ici, maman », déclare Joseph. Emily sourit. « Grand-papa n'a pu construire la **maison à charpente de bois** que lorsque la scierie s'est installée au village.

Il a emporté les billes du défrichage jusqu'à la scierie pour les faire découper en planches et en panneaux. Il a fait le plancher de la nouvelle maison avec des planches de pin. Les bardeaux du toit étaient en cèdre. Ton oncle Robert et moi avons ramassé beaucoup des pierres qu'il a utilisées pour les fondations de la maison.

Tu vois la porte dans les fondations, Joseph ? Elle mène à la cave à légumes. Regarde la taille du jardin et du verger maintenant », fait observer Emily.

La grande maison

« La maison de grand-papa et grand-maman est si grande », s'exclame le petit Joseph. « C'est parce qu'oncle Peter, oncle Robert, tante Judith et moi avons grandi. Votre grand-papa a dû ajouter des chambres à la maison. À l'étage, il a construit davantage de chambres. Au rez-de-chaussée, il a construit le **salon** (ou la salle de séjour) et la salle à manger. On ne les utilise que pour des occasions spéciales. C'est là que nous nous retrouverons tous un peu plus tard pour le souper. Ce qui me rappelle que nous devrions nous remettre en route ! ajoute Emily.

D'ailleurs, chuchote-t-elle, oncle Peter et tante Sara seront déjà là. » Elle met son bébé endormi dans les bras de Joseph. Puis elle saisit les rênes. Le vieux cheval lève la tête. Il se met en route doucement et on entend de nouveau le bruit de la charrette.

Glossaire

f: nom féminin   m: nom masculin

Acadienne (f), **Acadien** (m): colon français du XVIIᵉ siècle en Nouvelle-Écosse, qu'on appelait *Acadie* en français. Désigne aussi leurs descendantes et descendants.

amputer: couper.

ancêtre (f ou m): une personne (comme un de tes grands-parents) dont tu descends.

anesthésique (m): une substance qui soulage la douleur.

anguille (f): un poisson dont le corps ressemble à celui d'un serpent.

apothicaire (m): une personne qui prépare des médicaments.

apprentie (f), **apprenti** (m): une jeune personne qui apprend un métier auprès d'un maître artisan.

banc d'église (m): un long banc avec un dossier utilisé dans une église.

bateau (m): une embarcation légère avec un fond large et plat.

bateau à vapeur (m): une embarcation actionnée par un moteur à vapeur.

bief (m): le cours d'eau qui actionne la roue du moulin.

boudin (de laine) (m): une boule de laine douce et cotonneuse obtenue par cardage de la toison.

broussailles (f): les petits arbres et arbustes qui poussent près du sol dans la forêt.

bûcheron (m): une personne qui abat des arbres.

canot en écorce de bouleau (m): un canot très léger fait d'écorce de bouleau fixée sur une charpente en bois.

carde (m): une palette de bois munie de pointes métalliques. Elle est utilisée pour démêler la laine avant le filage.

carriole (f): une voiture d'hiver découverte.

carrossier (m): un artisan qui fabrique la partie supérieure des chariots, des charrettes et des voitures.

cave à légumes (f): une pièce froide et sombre, habituellement dans le sous-sol d'une maison. Elle est utilisée pour entreposer les légumes.

chariot conestoga (m): un chariot recouvert et muni de grandes roues et de côtés hauts.

charron (m): une personne qui fabrique des roues.

chemin de planches (m): une route formée de planches épaisses posées latéralement sur un passage défriché.

chemin de rondins (m): une route faite de troncs d'arbres posés sur un large sentier.

chemin de roulage (m): un chemin pratiqué à travers la forêt, assez large pour permettre le passage d'un chariot.

clôture de souches (f): une clôture formée de plusieurs souches déracinées qu'on a alignées.

colporteur (m): une personne qui voyage pour vendre de petits articles ménagers.

conifère (m): un plant qui porte des cônes, comme le pin ou le sapin. De nombreux conifères ont un feuillage persistant.

conserver: empêcher la nourriture de se gâter. La nourriture était fumée, salée ou séchée.

corde (f): une pile de bois qui mesure 3,62 mètres cubes.

corvée (m): un rassemblement de personnes qui veulent travailler ensemble à un projet particulier.

diligence (f): un chariot tiré par des chevaux qui transporte régulièrement des personnes entre deux endroits.

douelle (f): une planche de bois utilisée pour fabriquer des tonneaux, des cuves, etc.

ébéniste (m): une personne qui fabrique des meubles pour la maison.

Écritures (f): un passage de la Bible.

enclume (f): un bloc de fer avec une surface plane et une extrémité pointue, sur lequel on donne une certaine forme à des pièces de métal à coups de marteau.

expérience (f): un essai pour faire une découverte ou mettre une théorie à l'épreuve.

fanal (m): une lumière obtenue en faisant brûler des nœuds de pin dans un panier de métal. On s'en servait pour pêcher ou chasser la nuit.

ferrer: munir de fers.

fondations (f): les pierres ou les briques sur lesquelles repose une maison.

forge (f): une fournaise dans laquelle on chauffe le fer ou un autre métal avant de le marteler pour lui donner une forme.

forgeron (m): une personne qui travaille le fer et fabrique des fers à cheval.

forme (f): un modèle en bois de la forme d'un pied, avec lequel on fait des chaussures.

fumage (m): une méthode de conservation de la viande.

gangrène (f): une infection du corps souvent provoquée par la présence d'une bactérie dans une blessure.

gibier (m): la viande des animaux que l'on chasse.

goélette (f): un navire à voile à un ou deux mâts.